A Máquina de Contar Histórias

Gabriela T. Furtado
12.12.14

Maurício Gomyde

A Máquina de Contar Histórias

Novas Páginas

Esta é uma obra de ficção. Nomes, personagens, lugares e acontecimentos descritos são produto da imaginação do autor. Qualquer semelhança com nomes, datas e acontecimentos reais é mera coincidência.

1ª Impressão — 2014

Produção Editorial:
Equipe Novo Conceito

Impressão e Acabamento Mark Press 300414

Este livro segue as regras da Nova Ortografia da Língua Portuguesa.

Dados Internacionais de Catalogação na Publicação (CIP)
(Câmara Brasileira do Livro, SP, Brasil)

Gomyde, Maurício

A máquina de contar histórias / Maurício Gomyde. -- Ribeirão Preto, SP : Novo Conceito Editora, 2014.

ISBN 978-85-8163-504-0

1. Ficção brasileira I. Título.

14-03531 CDD-869.93

Índices para catálogo sistemático:
1. Ficção : Literatura brasileira 869.93

Novas Páginas

Rua Dr. Hugo Fortes, 1885 — Parque Industrial Lagoinha
14095-260 — Ribeirão Preto — SP
www.grupoeditorialnovoconceito.com.br

Para Mi, Ma e Manu,
que fazem parte da melhor
família M do mundo.
Para vocês, todo o meu amor.

e a m t a r s z

h d a t

Quando paramos para escrever um romance,
quando usamos a escrita para criar uma história,
queiramos ou não, um tipo de toxina que jaz nas
profundezas de toda a humanidade sobe à superfície.
Todo escritor precisa ficar cara a cara com essa toxina
e, consciente do perigo envolvido,
descobrir um jeito de lidar com ela.

Haruki Murakami

PARTE I

a m t g r s e h z

1

(...)

– Lê pra mim a última página do seu livro? Só falta ela. Guardei pra ouvir de você...

Ela fechou os olhos, ele desligou a TV e então recitou, sussurradas, as palavras que já sabia de cor:

A primeira letra... O ponto final... No meio, os caracteres e espaços em branco que, por mágica, amarraram as duas pontas. A escolha das palavras, a pontuação e a sequência das ideias em cada página. Decisões. Amor recontado entre as aberturas e fechamentos de capítulos, por quem cedeu à tentação de se entregar. Infinitas possibilidades de entendimento, inúmeras histórias em uma só. Aquele foi o caminho trilhado, mas o que viria a seguir? Pouco importava, estradas sempre mudam. Os três só tinham uma certeza: aquela havia sido a jornada mais perfeita que jamais poderiam ter vivido...

2

Após vinte minutos de absoluto silêncio, respiração coletiva suspensa pela beleza do que os convidados tinham acabado de ouvir, as luzes do enorme salão azul do Centro de Convenções de Belo Horizonte foram acesas e a ovação foi memorável, quase quarenta segundos de aplausos. De cima do palco, o escritor *best-seller* Vinícius Becker mirava os rostos e devolvia cada sorriso, agradecendo com a mão direita sobre o peito e o braço esquerdo levantado com o microfone sem fio.

O coquetel de lançamento e leitura pública de trechos do romance mais aguardado do ano, e maior aposta da Editora X^2, para quarenta jornalistas e blogueiros selecionados a dedo, seguia um sucesso. Como previra Salvatore Garcia, agente e único amigo do escritor, e a julgar pelos sorrisos e comentários das pessoas que estavam na fila para as entrevistas de praxe, a história de amor contada nas pouco mais de 300 páginas seguiria a trilha bem-sucedida dos outros nove livros do autor.

Como você consegue colocar tanta paixão nos seus livros?; A impressão, quando descreve cada cena, é a de que você já esteve lá. Quanto há de real nas suas histórias?; Você se inspira nos amigos e familiares para criar as personagens? As perguntas dos jornalistas nunca mudavam.

A paixão tem que fazer parte da vida do escritor, para que as palavras venham carregadas da credibilidade que o leitor merece; Eu não conseguiria escrever com amor sobre aquilo que não conheço; A inspiração para as personagens vem de coisas que eu leio, vejo e vivencio. Meus amigos, familiares e minhas filhas sempre estão nas histórias. As respostas também nunca mudavam.

Um ritual ensaiado à exaustão para algo em que, no íntimo, Vinícius sempre acreditou: escrever era um exercício, e, uma vez aplicadas as técnicas, não tinha como dar errado.

3

Quando o táxi estacionou em frente ao cinco-estrelas, o sol ameaçando nascer, Vinícius e Salvatore ainda traziam as taças com espumante nas mãos. Desceram e caminharam abraçados em direção ao saguão.

– Eu falei! Sal *Paradise* nunca erra – Salvatore gritou e bateu no ombro de Vinícius. Derrubou uns bons goles do espumante na blusa do amigo.

– Sal *Paradise*? – Vinícius franziu a testa, enquanto tentava limpar a blusa com a mão.

– Eu mesmo. Me agradeça por colocar o seu pé na estrada rumo ao paraíso, meu camarada. Não tenha dúvidas, vamos bater o nosso recorde. Já posso imaginar minha conta bancária engordando.

Pararam em frente ao elevador. Vinícius apertou o botão e retrucou:

– Não seria o contrário? EU levar você ao paraíso? Ah, desculpa. Foi você quem ralou oito meses para escrever a história, né?

– Alto lá! Quantas e quantas histórias excelentes morreram guardadas em gavetas perdidas no tempo e esquecidas no espaço, pela simples ausência de um gênio tarimbado para negociá-las?

– Tá bom, gênio! Proponho alterarmos a capa do livro e colocarmos no alto e em letras garrafais: "Salvatore Garcia". Vamos ver quantas cópias você vende.

– Não seria má ideia, mas vamos manter como está. O time está ganhando e não é prudente mexer. Cada um na sua função. Mas eu adoraria ter todas as mulheres que ficam rastejando no seu pé.

– Mulheres rastejando no meu pé? Quem disse? – Vinícius levantou uma sobrancelha.

– Meu detector.

– Detector de quê?

A porta do elevador se abriu e os dois entraram.

– De mulheres que rastejam, cara! – Salvatore levantou as duas mãos, derrubando o resto do espumante no chão. – A Paola, aquela deusa da *Folha de Minas*. O jeito que ela fazia as perguntas, com aquele olhar fofinho de guaxinim, dava pra matar um desavisado. O corpo dizia tudo: o decote insinuante, o ombro proeminente em direção ao ídolo, a língua circulando pelos lábios carnudos, a voz sensual perguntando coisas que, obviamente, ela não tinha o menor interesse em saber...

– Olhar fofinho de guaxinim... Deus do céu! Preciso admitir: você daria, sim, um ótimo ficcionista. E chega de conversa fiada. Que horas sai o avião?

– Duas e dez da tarde. Acordo você a tempo.

– Perfeito! Para isso você é muito bem pago. – Vinícius deu risada e o abraçou.

O elevador parou no andar, cada um foi para o seu quarto. Ao fechar a porta, Vinícius retirou do fundo da mala o velho livro descascado, grosso e de capa marrom, que saía de sua casa uma vez por ano apenas para acompanhá-lo no lançamento oficial de cada novo livro.

– Obrigado. Obrigado pela sorte, meu amigo. – Beijou a capa e devolveu o livro à mala.

E mal teve tempo de tirar os sapatos antes de cair na cama.

Como se tivesse transcorrido não mais do que a eternidade de um piscar de olhos, Vinícius ainda na mesma posição do desabamento sobre o colchão, o telefone do quarto gritou alto.

– Acorda, meu velho. Vai tomar banho e lavar essa cara podre de escritor, porque daqui a pouco a caravana literária sai.

– Caravana? – A voz saiu rouca e a língua, enrolada. – Que horas são?

– Onze. Já perdemos o café e eu quero almoçar no aeroporto antes do voo.

Vinícius se revirou, cobriu o rosto com o travesseiro, pousou o telefone sobre a cama e não respondeu.

– Ei! Acorda! – O grito de Salvatore veio acompanhado de socos desferidos na parede que separava os dois quartos.

– Me dá meia hora – Vinícius gritou de volta. E bateu o fone no gancho.

Procurou o celular dentro da mala e notou que estava descarregado. Plugou na tomada e foi tomar banho. Deixou a barba por fazer, mesmo estando em pleno meio de semana. O sucesso da noite anterior permitia transgressões daquele tipo ou ainda maiores.

Cada "projeto", a denominação dele para um livro, tinha seu ciclo, seu tempo de maturação. Da primeira ideia até os eventos de lançamento, os procedimentos seguiam um roteiro muito bem traçado, como a receita de um bolo que sempre chega ao saboroso produto final. O planejamento e a execução das fases, as planilhas com as características das personagens, os livros de técnicas de escrita criativa consultados a todo instante, como bíblias específicas para cada nuance das tramas. Uma "máquina de contar histórias" – era como Salvatore o chamava. Frio, certeiro, veloz. Emoções transcritas no papel de forma científica, como se amor, ódio, pena e saudade fossem tópicos de um fichário que ele abria, selecionava e inseria com precisão nas entranhas do texto. Competente, muito competente em seu propósito de encantar. Um projeto terminava, outro deveria necessariamente começar a ser esboçado. Para não deixar o trem passar, para não perder a mão e o interesse do mercado, para atender aos anseios dos fãs que viviam cobrando novidades. Nova saga, novas personagens, novos sentimentos traduzidos em letras, palavras, parágrafos e capítulos. A pesquisa das novas frases prontas, inseridas num arquivo, salvas numa nuvem de dados e às quais ele recorria nos momentos de branco da mente. Tudo milimetricamente estudado.

Mas Vinícius pensaria nesse novo projeto quando voltasse para casa, em São Paulo. Com a água quente escorrendo pelas costas, fechou os olhos e se entregou à boa sensação de mais um dever cumprido.

Ao sair do banho, ligou a TV e o celular. Passou a se enxugar, observando o âncora dar as últimas notícias da manhã. De repente, o telefone começou a vibrar sobre a cômoda, emitindo um som rouco. Uma, duas, três vezes. Ele esperou a lista de chamadas não atendidas terminar de ser carregada. Dezenove. Todas vindas do celular de Valentina, a filha mais velha. Chamadas que atravessaram a noite, a madrugada e a manhã, e estacionaram em seu telefone à espera de atenção. As mãos tremeram e o coração disparou, como se antecipassem a notícia que havia quatro anos ele esperava não receber. Imediatamente ligou de volta. Quem atendeu foi dona Lourdes, a velha governanta da casa.

– Alô? Lourdes? Eu... O quê?

A notícia veio dilacerando o peito de Vinícius do jeito que ele jamais poderia ter descrito em uma de suas tantas histórias. Sentou-se na cama, uma tontura o invadiu. Colocou a mão na testa e só conseguiu balbuciar:

– Chama a Valentina, por favor.

Mas, a exemplo do que acontecia havia algum tempo, a menina não quis ouvir a voz do pai.

– Pelo amor de Deus, Lourdes! Eu preciso muito falar com ela.

As lágrimas passaram a correr durante a nova negativa da filha, que ele escutou como um grito ao fundo da ligação. Desligou o telefone, o corpo foi para trás, o choro veio incontrolável, o peito pulando na cama de molas e as duas mãos tapando o rosto, como se fizessem as vezes de proteção para a dor incrível que o atravessava de fora a fora. Dor para a qual ele acreditava estar preparado, mas que, agora, o rasgava em dois, em três, em mil pedaços. E demonstrava, na prática, que, por mais criativo e hábil ele fosse como escritor, milhares de folhas de papel jamais registrariam com precisão uma sombra do que o bombardeava ali. O dia chegaria, mais hora, menos hora, Vinícius bem sabia. Mas ele não poderia estar longe quando tudo acontecesse. Ele não queria se sentir, como naquele momento, o pior dos homens da Terra.

Pegou o telefone do hotel e digitou o número do quarto de Salvatore.

– Fala, meu escritor favorito! Já está pronto? – O amigo atendeu animado.

– Me tira daqui, vamos embora. Eu preciso ir agora. Tenta antecipar o voo, Sal. Faz isso por mim, por favor!

– Por quê?

– Porque... Aconteceu.

4

O avião pousou no aeroporto de Congonhas às quatro horas da tarde. Salvatore foi para a esteira pegar as malas. Vinícius correu para o desembarque, pagou o trajeto do táxi no balcão da empresa e voou para a linha onde os carros se enfileiravam. A enorme quantidade de passageiros e malas indicava que a espera ainda seria longa. Ele nem cogitou entrar no fim da fila. Foi até o início e cutucou a senhora de bengala que se preparava para embarcar. Gritou:

– Pelo amor de Deus, minha amiga. Eu preciso muito deste táxi

Antes de a velhinha pensar em reclamar, e ao som de xingamentos de boa parte da fila, ele já estava sentado no banco do carona. Bateu a porta com violencia, colocou o bilhete com o destino nas mãos do motorista e disse:

– Voa, porque eu preciso chegar em meia hora, no máximo.

O motorista mirou o papel, conferiu o local, engatou a marcha, acelerou e retrucou:

– Nessa hora e nesse trânsito, sei não, doutor. São Paulo anda um caos e...

Vinícius não esperou o rapaz concluir. Jogou uma nota de cinquenta em seu colo.

– Em no máximo meia hora.

O rapaz arregalou os olhos.

– Deixa comigo.

A cada parada em um dos inúmeros semáforos, a cada freada ou acelerada para ultrapassar os veículos que seguravam o trânsito, o coração de Vinícius batia mais rápido, em meio às lágrimas que molhavam seus olhos e as costas de suas mãos. O sentimento de perda de parte fundamental de sua vida chegava ainda mais devastador do que as cenas mais dramáticas descritas em suas histórias. Cenas plantadas com a intenção deliberada de fazer os leitores chorarem. Que ele havia rascunhado na frieza de seu escritório, esfregando as mãos e feliz por obter o que chamava de "parágrafo perfeito". *O segredo do sucesso é fazer o leitor rir um pouco e chorar muito*, era o mantra digitado em fonte de tamanho garrafal na área de trabalho da tela de seu computador. Mas ele nunca se imaginara como personagem de uma cena real, o choro dentro de um táxi em meio à busca frenética pelo "trajeto perfeito". Se aquilo fosse uma de suas tramas, ele conseguiria fazer os ponteiros dos relógios andarem mais lentos ou mais rápidos. Como criador, ele teria nas mãos o poder de ligar ou desligar os semáforos. Poderia fazer o carro voar, um helicóptero aparecer do nada e ele próprio, personagem-autor, pilotá-lo sem nunca ter feito aquilo antes. Ressuscitaria as pessoas, brincaria de ser Deus. Ali, vida real, era impossível subverter a lógica precisa dos fatos.

Quando, enfim, o táxi deixou Vinícius em frente ao cemitério do Morumbi, ele entrou correndo pelo saguão e foi direto ao corredor das salas para velórios. Apenas as duas primeiras tinham algum movimento. Ele olhou de longe e não reconheceu ninguém. Voltou até a administração e entrou gritando para o rapaz sentado atrás do balcão:

– Onde está sendo o enterro de Viviana Coltelli?

O rapaz consultou uma ficha e respondeu:

– Na Ala Norte, Quadra 2, Rua 67.

– É longe? Dá pra ir andando? Como eu chego lá? – Vinícius atropelou as palavras.

– Ih, é uma boa caminhada.

– Me arranja um carrinho, por favor. Rápido! – Ele colocou uma nota de cinquenta sobre o balcão.

O rapaz esfregou as mãos, guardou o dinheiro no bolso e disse:

– Corre, vem comigo.

O carrinho elétrico não passava dos 20 ou 30 por hora, velocidade muitas vezes menor que a dos batimentos do coração de Vinícius.

Então os dois avistaram o local, no alto de uma pequena colina. Duas tendas verdes sobre as cabeças de uma centena de pessoas de preto. O carrinho se aproximou e, pouco antes de parar, o rapaz perguntou:

– O senhor era amigo da falecida?

Ele passou a mão na boca, piscou várias vezes os olhos marejados e balbuciou:

– Era minha esposa.

5

Vinícius colocou os óculos escuros e passou por entre as pessoas. Amigos de Viviana, familiares distantes que bateram em suas costas enquanto ele passava, familiares próximos que olharam para ele com desprezo, o pessoal do hospital, do clube, do condomínio. O Pai Nosso entoado com emoção parecia insuficiente para encobrir o som de seus passos sobre as folhas secas. Ao chegar à beira da cova, caixão já baixado, a pequena Vida desceu do colo de dona Lourdes e, cabelos loiros e cacheados balançando, correu para perto dele. A menina pulou em seus braços e apontou para a cova:

– Papai, a mamãe tá dormindo ali dentro da caixa.

– Eu sei, meu amor. Eu sei... – Ele começou a chorar, rosto entre cabelos e ombro da filha.

Neste instante, Valentina, a filha mais velha, de costas para o pai, uma flor numa das mãos e um punhado de folhas de papel na outra, tomou a palavra:

– Mamãe, sabemos que você está num lugar maravilhoso, ninguém pode dizer o contrário. Está linda como sempre foi, ainda mais agora, que Deus a levou pra ficar ao lado dele. Você vai ficar melhor. Sua dor era muito maior do que a nossa aqui. – Ela fez uma pausa, enxugou as lágrimas que caíam e continuou: – O livro que nós duas estávamos escrevendo juntas... Não deu tempo de eu escrever o final enquanto você estava viva. Mas nessa madrugada encontrei você lá no meu quarto. Você me olhava e sorria. Eu não conseguiria dormir, mesmo se quisesse, e sua presença me ajudou a terminar o último capítulo. Ah, você vai amar a cena final dos dois, no mesmo cenário de quando se conheceram. Lembra daquele nosso debate sobre como as coisas deveriam seguir se eles ficassem juntos? Então... – A menina voltou a chorar, colocou a mão na boca. Os soluços, teimosos, atravessavam seus dedos e quebravam o silêncio respeitoso dos outros presentes. Dona Lourdes abraçou-a por trás. Vinícius chegou ao lado, mas não teve coragem de colocar a mão no ombro da filha. Ela continuou: – Mamãe, quando eu morrer, quero encontrá-la. Vamos sentar aí numa nuvem e eu quero ouvir você falar sobre o fim da história. Só a sua opinião me interessa. Eu te amo.

Então Valentina atirou o maço de folhas dentro do túmulo. Jogou a flor por cima. Os coveiros passaram a empurrar a terra sobre o caixão. Silêncio quebrado apenas pelo vento golpeando os altos eucaliptos ao redor e pelo choro dos parentes mais abalados. Alguns começaram a dispersar, outros se aproximaram de Vinícius, Valentina e Vida para as condolências. Entre abraços e os velhos e infalíveis *Sinto muito, A vida é assim mesmo* e *Pelo menos agora ela está em paz*, Vinícius não conseguia encarar a filha mais velha, grudada em dona Lourdes como senha para que ele não se aproximasse.

Ao final, terra sobre o caixão e coroas de flores depositadas sobre o monte, Vinícius enfim chegou ao lado de Valentina.

– Filha, eu...

– Lourdes, me leva pra casa – ela interrompeu e deu as costas para o pai.

A governanta, abraçada à menina, fez um sinal com os olhos, apertou a boca em direção a ele e sinalizou que deixassem Valentina sozinha por um tempo.

– A gente espera o senhor lá embaixo, seu Vinícius.

Vinícius ficou para trás, imóvel, vendo as três descerem em direção à entrada do cemitério. Vida seguia no colo de dona Lourdes e Valentina caminhava afastada das duas. Então ele se virou para o túmulo e passou a sussurrar, entre lágrimas:

– Desculpa, meu amor. Desculpa por não ter estado ao seu lado na hora em que você mais precisou. Eu não sei o que fazer, juro. Não sei como pedir perdão, não sei como fazer para acabar com esta dor terrível no meu peito.

Vinícius se ajoelhou ao lado das coroas de flores e deixou-se cair sobre elas. Seu corpo cobriu pedaços de algumas faixas com os dizeres "Mãe Querida", "Filha Amada", "Amiga Inesquecível". Nenhuma delas traria "Esposa e Amor Eterno", ou algo parecido. Ele não havia encomendado. O choro veio incontido, um quebra-cabeças de peças feitas de perda, dor, fracasso e impotência, encaixadas para montar um estranho quadro cubista, emoldurado pela tristeza e pendurado na parede de um tempo que agora não tinha mais volta.

De repente, uma chuva fina passou a descer e ele fez uma prece desconexa entre boca e mente. Ao final, céu começando a escurecer, voltou sozinho até a entrada do cemitério, sem se importar com a água que encharcava suas roupas. Todos já tinham ido embora, e, num banco de madeira lateral sob densas árvores, dona Lourdes, Valentina e Vida o esperavam ao lado do Volvo com a porta entreaberta e do motorista, Arnaldo, recostado na lateral.

– Vamos – Vinícius sussurrou.

⏮ ⏭

O silêncio preenchia todos os espaços dentro do veículo.

Vinícius sentado no banco da frente e as três atrás. Ele ligou o rádio, como se procurasse socorro por meio do discurso de algum locutor sobre o vazio debaixo de seus pés ou, quem sabe, ser premiado com alguma canção capaz de confortar a alma dos cinco dentro do carro. Não sabia o que falar com as filhas, como se desculpar por mais uma de tantas ausências.

Passados mais de quarenta minutos, ao entrarem na rodovia dos Bandeirantes em direção ao condomínio Golden View, Vinícius desligou o rádio e, enfim, tomou coragem para se virar para trás. Vida dormia no colo de dona Lourdes. Ele pousou a mão esquerda sobre o joelho de Valentina, que mantinha a cabeça virada para a janela. Ela afastou a perna com violência. Ele tentou:

– Meu amor, eu...

– MAIS UMA VEZ VOCÊ NÃO ESTAVA AQUI! – o berro agudo ecoou dentro do carro.

Vida acordou chorando, dona Lourdes abraçou-a para confortá-la e preferiu ficar em silêncio.

– Mas... – ele tentou dizer alguma coisa.

– VOCÊ NÃO SE DESPEDIU DELA, você não se despediu dela, você não se despediu... – Valentina começou gritando e as frases foram diminuindo de volume, até ela murmurar pela última vez, olhando pela janela, ainda de costas para o pai.

Vinícius ainda tentou falar, mas Valentina colocou as mãos nos ouvidos e apoiou a testa na janela. Ele desistiu e se virou para a frente, olhos cheios de lágrimas. Ligou novamente o rádio, ninguém falou mais nada. O céu escuro, preenchido por nuvens carregadas em cinza-cobalto, transformou-se em testemunha de um crime sem culpados: uma família voltando em frangalhos para a realidade de uma vida que seguiria ninguém sabia como.

Em mais meia hora, já com uma chuva torrencial, o cenário se abriu no alto de uma subida. Enfim, a entrada do imponente condomínio tomou conta da vista. O Volvo passou pela guarita, serpenteou pelas avenidas de pedra margeadas por gramados milimetricamente aparados e jardins coloridos, seguiu ao lado de mansões, nenhuma delas com cerca ou grade na frente. Alcançou a enorme construção, repousada sobre uma colina saliente e destacada à frente de um lago delimitado por uma pequena floresta.

Mal o carro estacionou, Valentina abriu a porta e correu para dentro. Vinícius bateu nas costas de Arnaldo, pegou no colo a pequena e adormecida Vida e agradeceu a dona Lourdes.

– Preparo uma sopa, seu Vinícius?

– Precisa não, Lourdes. Vai descansar também.

Entraram em casa. Vinícius subiu até o quarto de Vida e a colocou sobre a cama. Tirou os sapatos da menina, cobriu-a com a manta cor-de-rosa, acendeu o abajur da Tinker Bell sobre o criado-mudo branco. O quarto de fadas se iluminou, e, da porta, ele admirou a filha menor dormindo serena, com a boca aberta e a respiração tranquila. Sentiu, ali, que ela precisaria de um pai como ele jamais se imaginara, o papel do herói-protetor que a filha de quatro anos acreditava que ele era. A inocência, ainda não roubada pelo mundo, seria aliada na luta para a pequena não perceber como ele havia sido ausente. Ela, que parecia viver na Terra do Nunca, no sonho de ser mais uma das fadas habitantes de seu mundo particular. O anjinho que sempre soltava as frases mais incríveis, nas horas mais inesperadas. Que dormia ali, sem a exata noção do ocorrido, e que acreditava que a mãe dormia numa caixa.

Vinícius se arrastou pelo corredor escuro, respirou fundo e parou em frente ao quarto de Valentina. Trancado, como sempre. Bateu uma, duas, três vezes. A filha não respondeu.

– Filha, conversa comigo – ele pediu e esperou.

Nenhum som veio de dentro, e então ele escorregou as costas pela porta e sentou no chão, abraçado às pernas. O rosto ficou entre os dois joelhos. Sentia perder a filha de dezesseis anos, a menina que já se fazia moça, que assumia responsabilidades e cuidara de Viviana até o fim, do jeito que ele mesmo não havia cuidado. Que escrevera um livro em parceria com a mãe e não fizera a mínima questão de saber a opinião do pai-escritor sobre o texto. *Minha filha, escritora*, ele pensou. Saber daquilo apenas no enterro da esposa tornava a dor ainda maior.

As costas caíram para o lado e ele ficou em posição fetal, sobre o chão frio do corredor, no escuro, roupa ainda úmida colada ao corpo. Olhava para fora da casa pela enorme janela da sala, do chão ao teto e com vista para as árvores da floresta ao redor do lago. O silêncio de uma casa que abrigara os momentos mais felizes de sua vida e que fora conquistada com horas e horas de sangramento intelectual, de muita pesquisa, de estudos infindáveis, de um sonho partilhado por ele e Viviana. O sonho profissional, inicialmente apenas seu, mas no qual a esposa embarcara como se dela fosse. Como talvez nenhuma outra mulher no mundo toparia. Agora, a gratidão tardia que só a ausência seria mesmo capaz de trazer à tona, e ali, na forma de uma dor absurda e inexplicável.

Deitado, desamparado e sozinho, ele se lembrou dos primeiros dias...

– Mamãe, que casa linda! – A pequena Valentina gritava e dava pulos de meio metro de altura. – Papai, posso escolher meu quarto?

– Tirando aquele do fundo, meu e da sua mãe, o resto está liberado.

– Então eu quero aquele lá de cima.

– Filha, aquele é o escritório do papai. Agora, sim, eu vou precisar escrever um monte, cada dia mais.

– Verdade, meu escritor de sucesso, amor da minha vida. – Viviana entrelaçou as mãos por trás da nuca de Vinícius.

– Chegar lá é difícil, mas se manter é dez vezes mais. Já foi por cinco livros, agora a cobrança vai ser ainda maior.

– E eu não falei que a gente chegaria lá? Fico me lembrando daquela quitinete no centro.

Ele deu um beijo no pescoço de Viviana.

– Eu te amo, sabia? Mas, me conta... – ela fez uma voz fina, piscou e passou a mão nos longos cabelos escuros. – Como você consegue ser assim tão romântico nas suas histórias? Eu, eu, ai, eu vou desmaiar. Sou sua fã número 1.

Vinícius começou a gargalhar.

– Mas minha fã número 1 não era a senhorita? – Ele apontou para a filha.

– Mamãe, a fã número 1 do papai sou eu. – Valentina cruzou os braços e fez bico.

– Tá bom, meu amor. – Viviana piscou para Vinícius. – Eu sou a fã número 2.

– Então, minha fã número 1, me explica: como você é minha fã número 1 e não percebeu a coisa mais legal que eu pedi para a fã número 2, aqui, colocar no projeto da casa? – Vinícius interrompeu, olhando para a filha.

– Qual coisa mais legal?

– Olhe por si mesma. Saia pela porta da frente, feche-a e entre novamente.

Sob o olhar terno da mãe, a menina foi correndo para fora e fez o que Vinícius mandou. Fechou a porta e entrou, olhos arregalados. Ficou procurando.

– Viu? – ele perguntou.

– Não vi nada. – Valentina retrucou.

– Faz o trajeto de novo – Vinícius ordenou.

Ela assim fez e, outra vez, nada.

– Não tô vendo, pai. Fala logo.

– Ah, meu Deus! Às vezes as coisas estão bem à nossa frente e não conseguimos enxergar. – Vinícius levantou o indicador, olhou para Viviana e disse: – Já diria o grande poeta: *o tolo olha para o dedo que aponta para uma estrela*. Neste caso, a surpresa está justamente no dedo, e não na estrela. Valentina, volta lá e olha para a porta. Para a porta, só para ela. – Ele riu.

Mais uma vez ela correu e fechou a porta. Viviana e Vinícius ouviram um gritinho agudo.

– Aaaaaaaai, que lindo!

O "V" talhado na madeira indicava que ali era mesmo um lugar especial.

– Pois é, agora esta aqui é a nossa bat-caverna. O esconderijo da "Família V".

– "V" de Verdade – disse Viviana.

– Papai, faz a dancinha da vitória outra vez?

– De novo? Só se você fizer aquela cara.

Valentina fez a careta típica de "por favor", recurso utilizado sempre que ela queria muito alguma coisa. Os olhos caíram, os dentes travaram, o beiço de baixo foi para a frente, a cabeça ficou de lado. Vinícius retribuiu com o cover da *Haka* neozelandesa, que os *All Blacks* fazem antes dos jogos de rúgbi. Dança que ele tinha inventado como um ritual da família. Os cotovelos se encostaram à frente do peito e, joelhos dobrados, ele deu pulinhos de caranguejo para a esquerda e a direita, abrindo e fechando os braços em forma de "V". Pela enésima vez, Valentina e Viviana rolaram no chão de tanto rir da cara que ele fazia, imitando as carrancas dos aborígines.

Então os três se fecharam num triângulo e fizeram o cumprimento da família: cada um fez um "V" com o indicador e o médio da mão direita e o levantou. O indicador de Vinícius tocou o médio de Viviana. O indicador de Viviana tocou o médio de Valentina. O indicador de Valentina tocou o médio de Vinícius. Uma corrente, uma marca de amor, um sinal que seria feito inúmeras vezes até ser esquecido pelos três. Esquecido pelo tempo, pela correria, pelo desafio que ele próprio se impusera de tentar ser o maior escritor do Brasil...

⏮ ⏭

Pois ele tinha conquistado tudo aquilo, e agora de que adiantava? Milionário, mas sem duas das coisas mais importantes na vida de um homem: o amor das filhas e a presença de uma grande mulher. Vinícius se encolheu ainda mais, fechou os olhos e dormiu ali mesmo no chão, como um fiapo de ser humano, capaz de voar com a rajada do vento mais brando.

De madrugada, foi despertado por um leve toque no ombro. Vida estava ao seu lado, em pé, com uma boneca arrastada pelo chão.

– Papai, eu tô com medo.

– Ô, minha fadinha! – Ele se levantou e a pegou no colo.

Levou-a de volta ao quarto. Deitaram-se na pequena cama, ele se encolheu atrás dela.

– Me abraça? – ela pediu.

Então ele olhou para o abajur da Tinker Bell. Em pensamento, pediu que a noite funcionasse como em uma das tantas histórias lidas na infância de Valentina, e que os compromissos com a carreira haviam negligenciado a Vida: que durante a madrugada uma fada fizesse a mágica capaz de devolver tudo ao seu devido lugar.

Desligou a luz, fechou os olhos, abraçou a filha e pensou em Viviana até dormir.

6

Vinícius Becker aprendeu sozinho a gostar de ler romances. Garoto esquisito, dos doze aos quatorze anos passou quase todos os recreios enfurnado na biblioteca do Colégio São José. Enquanto os colegas jogavam bola, ele lia. Enquanto lanchavam, ele viajava para outros mundos, planetas e galáxias. Subverteu a lógica dos pais, que nunca cobraram dele a leitura de romances para ser alguém na vida. Do que se recordava, a quantidade de títulos de literatura em casa não chegava a preencher uma prateleira da cômoda em que reinava, inerte, a enorme televisão de 21 polegadas – raramente ligada. *O importante na vida é aprender matemática*, os pais diziam. Biólogos e pesquisadores universitários, haviam morado nos Estados Unidos por cinco anos e alfabetizado o garoto nas duas línguas. Vinícius perdeu a conta das vezes em que ganhou de Natal livros sobre planetas ou seres vivos. Orgulhoso, o pai detalhava aos familiares, nos almoços de domingo, os progressos de Vinícius. Contava com satisfação que o filho já tinha lido quase toda a *Enciclopédia Britânica* e seria um grande pesquisador e acadêmico da física, química ou biologia. Mal sabia o pai que as páginas da enciclopédia serviam, para o garoto, como um ancestral do Google. O que ele procurava lá dentro eram informações para ajudá-lo a escrever as muitas histórias que jamais teve coragem de mostrar. No início, aventuras e ficção científica. Logo depois, como o adolescente rebelde caminhando no sentido oposto ao desejado pelos pais opressores, os romances de amor.

O momento de ruptura e libertação chegou aos dezesseis, resultado de três fatores entrelaçados: a paixão secreta e insana pela menina mais bonita da escola; uma louca professora de literatura; e ter recebido de presente um livro que mudaria sua vida.

Nada na escola me encanta mais do que Heloísa de La Santa Rosa! A menina é uma divindade, uma lenda viva do São José. Só o nome dela já é suficiente para alçá-la ao panteão das criaturas inesquecíveis na vida de todos os que ousaram cruzar seu caminho. Ela faz parte da primeira divisão, Série A, a turma que os 'comuns' nem perdem tempo em cogitar imaginar pensar em sonhar ter a pretensão de viajar na ideia de chegar perto. Passa a impressão de ser diferente, de transitar em outra realidade, outra dimensão, de viver em um nível ligeiramente acima daquele reservado aos primatas da vala comum (eu sou um primata da vala comum!). Bonita demais, desejada demais. Nada nela é menos do que demais. Sempre cheirosa, sapato, bolsa e penteado da moda, tem o apelido de 'La Santa', apesar de, no sentido religioso do termo, não poder ser considerada nem uma pobre beata, tamanha a tentação que provoca. Olhos azuis e cabelos compridos castanhos, sorriso perfeito, nariz milimetricamente desenhado, seu cartão de visitas é um par de peitos que desafiam bravamente a lei da gravidade sob a blusa. Isaac Newton não explicaria aqueles peitos!

Essa foi a redação que a professora Elvira recebeu de Vinícius, quando lançou o concurso que premiaria, com uma medalha e a antecipação das férias em uma semana, o melhor texto sobre o aspecto da escola que mais encantava o aluno. A ideia da professora era estimular os estudantes a revelar os sonhos, os desejos profissionais. Era para falarem sobre matemática, história, ciências sociais, artes, não sobre aspectos sexuais das alunas.

Vinícius surtou. Não devia ter descido àquele nível, ainda que, pela primeira vez na vida, tenha sido sincero com seus sentimentos. À parte a menção a Isaac Newton, que lhe rendeu um comentário elogioso do professor de Física, sua redação foi considerada ofensiva pela direção. Vinícius, sim, virou uma lenda viva da escola, e por muitos meses aquilo foi assunto. Mas a ousadia lhe custaria uma semana de suspensão. La Santa chorou dois dias inteiros, diziam os boatos. Ela nunca tinha sido tão humilhada na vida, e, pelas informações de corredor, o fato de Vinícius nunca ter conseguido namorar nenhuma garota daquela escola foi decorrência de uma campanha arquitetada pela própria La Santa junto às amigas. Ainda que ele tivesse recebido apoio silencioso por parte dos outros primatas da vala comum, pois todos concordaram em gênero, número e grau com o texto, a situação foi tão constrangedora e complicada que ele prometeu a si mesmo nunca mais escrever sobre amor, mulheres e os fios capazes de entrelaçar os dois assuntos.

Após o sermão do diretor, Vinícius sabia que sua vida estava complicada. Seus pais não admitiriam aquilo. Um filho criado nos Estados Unidos! Porém, num desses raros momentos capazes de mudar o curso da história de uma pessoa, quando um cabisbaixo Vinícius foi buscar o material, a professora Elvira o esperava na sala de aula. Ai, ele ouviria a primeira resenha positiva sobre um trabalho seu:

– Texto profundo, bem escrito, verdadeiro! Sutil, sucinto, beirando o cômico. – Ela aplaudiu lentamente. – Não perca a essência dos seus sentimentos mais puros, não avalie o que aconteceu hoje aqui como sinal para você desistir de escrever. Para mim, você foi o mais brilhante.

– Obrigado, professora. Mas isso não vai ajudar na desgraça que vai ser a minha vida daqui em diante. Não sei onde eu tava com a cabeça.

– Suas considerações no texto são o que muita gente aqui acha, mas só você teve a coragem de se expressar. Assim são os grandes. No que escolher fazer na vida, faça com vontade e garanto a você que chegará longe.

– Tá bom. Uma semana de castigo e a senhora ainda acha o meu texto bom. – Ele sentou, apoiou os cotovelos nas coxas e escondeu o rosto com as mãos.

– O importante é a gente sempre tentar tirar uma boa lição de cada situação, por mais esdrúxula que ela pareça.

– Tirei uma lição... Nunca mais escrevo textos de amor.

– Bobagem. Olha só, eu vou ajudar no seu exílio.

Então ela tirou da bolsa um livro de capa marrom, grosso e bem conservado. Entregou a ele e disse:

– Está tudo aqui dentro.

– O quê?

– O segredo. Pura teoria literária. Escrita criativa, as melhores e mais consagradas técnicas. Conselhos dos mestres da arte aos jovens escritores, exemplos detalhados de como procederam grandes *best-sellers*. Como construir uma personagem, como contar uma cena, como imprimir tensão em um diálogo ou plantar uma dúvida. A criatividade já faz parte das suas entranhas. Você precisa, agora, aprender a organizar o caos e a transformar essa criatividade em algo que as pessoas amem.

– O que vou fazer com isso, professora?

– Você não tem uma semana de exílio em casa? Esta pode ser uma boa lição a ser tirada da situação. Se não gostar, tudo bem. Mas leia até o fim e então você decide se gostou ou não. Você lê em inglês, eu sei disso. Por que não?

Vinícius pegou o livro nas mãos, virou de um lado para o outro, passou a mão sobre a capa e balbuciou:

– Por que não?

7

O dia raiou estranho, vazio, antes das seis horas.

Vinícius cobriu Vida com a manta e se levantou em silêncio. Olhou para o fim do corredor. A porta do quarto de Valentina permanecia fechada. O chão frio da escada de madeira o levou até o meio da enorme sala de pé--direito duplo, demarcada pelas quatro gigantes colunas cilíndricas, em concreto aparente, do projeto inovador criado por Viviana. O sofá de couro, os quadros coloridos, o abajur de canto, as plantas escolhidas para decorar o ambiente, nada parecia fazer mais muito sentido, a não ser como memória do tempo em que os dois colocavam a pequena Valentina para dormir e, como participantes de um jogo mágico, beirando o lúdico e o *nonsense*, faziam amor em todos os cantos da casa. Venceriam quando completassem 100% dos cômodos, o que não demorou a acontecer. Bêbados, vararam madrugadas fazendo amor nos banheiros, salas, quartos, escritório, cozinha, copa, varanda, sótão e todos os ambientes. *Faltou o lavabo*, ele sugeriu um dia. *Não conheço a adega ainda*, ela insinuou em outro. *Que tal conhecer a casa de máquinas da piscina?*, a ideia revolucionária dele. *Esta madrugada vou estar pelado ali na beira do lago, só te esperando...*, o ponto máximo da loucura dele por ela.

A concepção técnica da mansão tinha como foco a sala rebaixada, onde eles ficariam, conversariam, namorariam, assistiriam a filmes, brincariam com as crianças. Mas, ao contrário das previsões postas pelas linhas arquitetônicas, Vinícius aos poucos foi se isolando no escritório do terceiro andar. *Preciso escrever, preciso pesquisar, preciso entregar, preciso revisar. Preciso, preciso, preciso...* Ele só não havia sido preciso na arte de amar e cultivar a família. Na manga, sempre um argumento contrário aos pedidos da esposa para que ficasse mais em casa.

– Mas eu estou em casa – Vinícius retrucava, quando confrontado com a realidade de sua reclusão.

– Não, você não está. Estar em casa significa cuidar dos problemas dela, curtir as coisas que ela oferece, senti-la, sentir as pessoas que estão dentro, compartilhar, rir, chorar. Respirar junto às paredes, aos vãos, aos materiais, às criaturas que habitam seu chão. Não é estar só de corpo presente, mas de alma presente também.

Desde o dia anterior, Vinícius e a casa não tinham mais o corpo presente de Viviana. Ainda assim, ele desejou que a alma dela permanecesse impregnada para sempre em cada detalhe da construção e em todo o seu coração. Tarefa que caberia a ele cultivar, a mais ninguém. Para que o tempo não cuidasse de transformá-la em uma fraca e distante lembrança. *Isso acontece com todo mundo, ninguém é eterno para ninguém, meu caro*, ele se lembrou de um trecho dito por alguma personagem em uma de suas histórias. Teria de contradizer sua personagem diariamente, para recriar a intensidade do amor que um dia teve pela esposa

Quando a gente começou a se perder, Vivi?, Vinícius se perguntou em pensamento, enquanto olhava para uma foto sobre o aparador: os dois numa praia que ele não fazia ideia de onde ficava.

No fundo, ele bem sabia a resposta: foi a partir do dia em que a esposa recebera a notícia de que a fadiga, a falta de ar e as dores nas articulações eram algo muito além da quantidade de trabalho que ela assumira como arquiteta, ou da gravidez da segunda filha, já quase no fim. A leucemia havia mostrado suas garras e plantado, no seio da "Família V de Verdade", a notícia de uma derrota iminente. Diagnóstico ao acaso e tardio, evolução lenta e poderosa. Um exército avançando pelos flancos e aguardando o momento do ataque-surpresa. Leucemia Mieloide Crônica, a denominação feia para o carimbo que marcou o corpo de Viviana. Para cada cem mil pessoas no mundo, entre uma e duas sorteadas com a doença. O "bilhete premiado" havia caído na sala da casa, como uma granada prestes a explodir.

Que nome você quer dar para o bebê?, ele perguntou, os dois deitados abraçados e sem conseguir pregar o olho, durante a noite em que receberam a notícia. *"Vida", tudo o que eu não terei mais*. A resposta de Viviana para transformar em fogo a fagulha de amor que nascia em seu ventre.

Por exatos quatro anos e meio, Viviana lutou contra a doença e alternou seus dias entre a casa que projetara e o hospital. No primeiro ano, Vinícius ficou obcecado com a possibilidade de as filhas desenvolverem o mesmo problema. Viviana impediu qualquer exame na filha menor, nascida em meio à evolução da doença. Não admitia, sob qualquer hipótese, que o corpo da pequena e frágil Vida fosse investigado. Ao contrário, Valentina, ainda que os médicos indicassem não haver motivo para alarde, foi "furada" inúmeras vezes para hemogramas em que a primeira informação localizada pelos olhos de Vinícius era a taxa de glóbulos brancos. Especialista sem diploma, formado na "Universidade do Google", ele analisava os resultados, verificava se as taxas permaneciam dentro dos intervalos de referência e tirava suas próprias conclusões. Cercado por mínimas "suspeitas" de alteração, ele telefonava para o médico da família ou marcava consultas com os maiores especialistas na área, em busca de explicações capazes de acalmá-lo.

No começo, Vinícius tentou abandonar a literatura, mas foi impedido pela esposa. *O tempo há de me levar, mas não quero que também leve sua essência*, foi a frase que ela escreveu com batom no espelho do banheiro. Impedimento que custaria caro ao relacionamento. Por quatro anos e meio, Vinícius escreveu freneticamente. A obsessão com a possibilidade genética da doença nas filhas foi gradualmente substituída. O avanço da carreira, e não da doença, assumiu o primeiro lugar em suas preocupações. Quatro anos e meio dedicados à literatura como uma máquina, um robô programado para escrever e não amar. Escrever se tornara um refúgio para a alma, o esconderijo para sentimentos que ele aprendera a não externar. Enquanto a esposa definhava, ele ficava cada vez mais famoso. Quando o transplante de medula não surtiu efeito, Vinícius aceitou o inevitável com a frieza de alguém que, a cada novo livro, mais se distanciava da paixão provocada por suas histórias no público. Não parou a carreira para cuidar de uma família que clamava, silenciosa, por sua presença. Não honrou o amor recebido em doses cavalares das três mulheres da família V.

⏮ ⏭

Vinícius chegou até a enorme vidraça embaçada, de frente para o gramado que ia até o lago, e nela passou a mão em movimentos circulares. Criou uma janela para o mundo exterior, mundo que ele teria de encarar de maneira diferente a partir daquele dia. A fumaça saía de dentro do lago e dava uma ideia do frio que era mantido do lado de fora pelo aconchego da casa.

– Isso aqui nunca mais vai ser o mesmo – uma voz veio por trás.

Vinícius se virou:

– Verdade, Lourdes. – Ele apertou os lábios e balançou a cabeça. – Nunca mais...

– Por que o senhor não vai tomar um banho? Está com a mesma roupa de ontem.

– Não estou com vontade de entrar no meu quarto. Queria pedir uma coisa.

Pode pedir o que quiser.

– Pegue minhas roupas e minhas coisas de banheiro e coloque na suíte de hóspedes. Vai ser o meu quarto agora.

– O senhor não vai mais usar a suíte principal?

– Não, Lourdes. Mantenha sempre limpo e arrumado. Um dia, quem sabe, eu volto. Por enquanto, não consigo nem entrar lá.

⏮ ⏭

Ele saiu do banho e escolheu uma roupa qualquer dentre as que dona Lourdes havia colocado em cima da cama do quarto de hóspedes. Ainda não tinha feito a barba, por pura falta de vontade. Desceu para a cozinha. Ao entrar, as filhas estavam sentadas nos bancos altos em frente à ilha de granito preto-absoluto, com o *cooktop* no centro.

Assim que o viu, Valentina se levantou com o prato nas mãos e foi em direção à saída pela porta dos fundos. Vinícius correu e segurou o braço dela.

– Senta – ele pediu.

– Me solta – ela retrucou e puxou o braço.

– Senta. Vamos tomar café como uma família. Nós três.

– Rá... Que piada!

Vida, de pijama, a cara enfiada na xícara de leite com baunilha, arregalou os olhos verdes.

– Piada por quê? – ela quis saber.

Valentina sentou de volta, soltou o prato na bancada de forma violenta e berrou:

– PORQUE ISTO AQUI É TUDO, MENOS UMA FAMÍLIA!

– Pois, se não era, a partir de agora vai ser.

– EU TE LIGUEI MIL VEZES QUANDO ELA MORREU! E A MERDA DO SEU CELULAR SÓ DAVA DESLIGADO, COMO SEMPRE! – ela continuou berrando, cada vez mais alto.

– Desculpa, filha. É que...

– Sabe por que eu liguei? – Os dentes de Valentina estavam travados, ela espumava pela boca. – Porque era você quem deveria estar aqui ao lado da mamãe. – Ela bateu o indicador na mesa três vezes, seus olhos furavam os olhos dele. – Pra olhar pra cara dela pela última vez e ouvir as coisas que ela tinha pra falar. Ou entender o que os acenos da cabeça dela queriam dizer, já que as porras dos tubos e as merdas dos remédios toda hora impediam. Você não se dignou nem a telefonar pra saber como ela estava. NEM UM TELEFONEMA!

Os olhos de Vinícius umedeceram com a quantidade de verdades misturadas à raiva despejada naquelas palavras atropeladas. Sua boca passou a tremer. E a menina continuou, no que ele decidiu não interromper:

– A Lourdes precisou chamar, na correria, a tia Marta e o vovô pra assinarem um monte de papéis, conseguirem a liberação do corpo e o terreno no cemitério. VOCÊ É QUE TINHA QUE ASSINAR! – ela berrou. – Por mim, pouco importava se você estivesse ou não lá. Você não faz a menor diferença pra mim. Mas eu sei que a mamãe queria. E você não foi capaz nem de realizar o desejo dela de te ver.

– Eu ia ligar. É que o evento...

– Mais um evento, mais uma das suas festinhas... – Valentina segurou as palavras, colocou a mão na boca e as lágrimas, enfim, começaram a descer.

Eles se olharam por alguns segundos.

– Vai, me diz tudo. Pode falar sobre o pai miserável que eu sempre fui. Solta a sua raiva, solta! – Ele bateu no peito.

– Você não merece nem que eu faça isso – ela balbuciou, olhando para o outro lado.

– NINGUÉM SABIA QUE SERIA ONTEM, PORRA! – agora era ele quem berrava. – Você queria o quê? Que eu parasse a minha vida, que deixasse de ir ao meu evento, pra ficar esperando o que já não tinha mais jeito? Como eu saberia que ontem ela iria embora? Há meses qualquer dia podia ser o último.

– MINHA vida, MEU evento, MEU livro, MINHA carreira! – A cada pronome enfatizado, Valentina dava um murro de cima para baixo na bancada. – Você é um egoísta, só pensa em você! E tinha que ter largado tudo, sim, e ficado lá do lado esperando ela morrer, segurando a mão, olhando pro rosto irreconhecível dela, mesmo que ainda levasse dez anos pra ela morrer. Todos os dias, todas as horas, minutos e segundos. Não era pra faltar em nenhum momento. Nenhum, entendeu? Era o mínimo que você tinha a fazer! Mandar pra puta que o pariu todos os seus eventos.

Vida começou a chorar:

– Para de brigar! Eu quero a mamãe.

– A MAMÃE MORREU! – Valentina berrou em direção à irmã.

Vida passou a gritar agudo, com as mãos nos ouvidos e os olhos fechados. Vinícius tentou pegar a menina no colo, mas ela se debateu, começou a socar as pernas dele.

– A CULPA É SUA, A CULPA É SUA! – Vida gritava e batia nas coxas do pai.

Ele não conseguia dizer nada. Apenas tentava agarrar a pequena, sob o olhar tenso de Valentina, numa cena dantesca passada no centro de um ringue delimitado por mesa, cadeiras, geladeira, fogão e armários. Dona Lourdes, que assistia a tudo de longe, correu e agarrou a menina por trás:

– Calma, meu amor. Calma. – Tirou-a da cozinha e a levou para o jardim.

Vinícius se virou para Valentina e murmurou, cabisbaixo:

– Tudo o que eu sempre fiz foi por vocês.

– Eu percebi. No meio de uma festinha cheia de gente babando seu ovo e a mãe das suas filhas lá, morrendo sozinha... Eu te odeio!

Valentina jogou o guardanapo sobre a mesa e saiu da cozinha.

Vinícius sentou, escondeu a cabeça entre os braços e chorou como nenhuma de suas personagens jamais havia chorado.

8

- Você não se cansa de ser tão bonita e gostosa, não, dona Viviana? – A voz de Vinícius veio em *off*.

A jovem de dezenove anos, biquíni amarelo, de bruços na areia, olhou para a câmera com o canto do olho. Rolou para o lado, o sol iluminou seu rosto.

– Eu?

– E tem outra? Pena que isto aqui não é uma praia deserta, senão você ia ver só. Ah, eu não ia deixar pedra sobre pedra...

O movimento de *zoom* fez o rosto de Viviana preencher a tela, imagem trêmula e desfocada.

– Não faço ideia – ela exibiu seu enorme sorriso para as lentes. – Mas, já que a praia não é deserta, podemos voltar agora para a pousada e daí você me mostra o que ia fazer comigo e com as tais pedras...

(...) – É um, é dois, é três... – Vinícius gritou e estourou o champanhe sobre o bolo de três andares com dois bonequinhos no alto. Ele e Viviana entrelaçaram os braços e beberam em suas taças, rodeados por *flashes* e aplausos.

Em direção à câmera, vestido branco, flores brancas nos cabelos, ela gritou:

– Finalmente fisguei o peixão! Uhuuu! E não é história de pescadora. Olha ele aqui do meu lado.

(...) – Que coisa mais linda, meu amor! – Vinícius abraçou pelo ombro a esposa, exausta e suada.

– Perfeitinha! – Viviana respondeu, chorando e sorrindo, admirando o rosto de Valentina pela primeira vez.

Cordão umbilical ainda não cortado, a filha respirava quietinha, deitada no colo da mãe. Vinícius se desmanchava em lágrimas, e Viviana sussurrou, a voz tomada pela felicidade:

– E eu não sabia que você seria um pai tão chorão.

(...) – Deixa que eu escrevo, minha letra é mais bonita. – Viviana olhou para a câmera.

– Engraçadinha! Claro que a sua letra é melhor. Você é arquiteta e desenhista, e meu negócio não é letra, é fonte de computador – a voz dele se misturou às das pessoas que cruzavam a ponte.

A imagem do rio Arno corria ao fundo, ela rabiscou com um prego o cadeado e o posicionou diante da lente. Olha o que eu escrevi, para você não dizer por aí que eu não gosto de você.

– V & V – Vinícius leu, sua voz distorcida pelo microfone da câmera que ele segurava. – Ufa! Achei que você ia colocar "V" e uma letra qualquer.

– Pois o senhor escritor saiba que nunca, jamais, em tempo algum, isso acontecerá. – Viviana arregalou seus belos olhos bem dentro da lente.

– Coloca a data de hoje – Vinícius pediu.

Viviana marcou a data no metal e prendeu o cadeado na grade da ponte.

– *Ti amo, amore miooooooo*! – E ela jogou a chave no rio.

(...) – *Pela estrada afora eu vou bem sozinha, levar uns docinhos para a vovozinha. Ela mora no caminho deserto e o lobo mau é o lobo mau é o lobo mau.* – Valentina estava sentada no sofá creme, cantando a canção e maltratando as cordas de um violãozinho de plástico.

– É assim que termina, filha? O lobo mau é o lobo mau? – a voz de Viviana invadiu a cena.

Valentina deu uma gargalhada.

(...)

A velha câmera de vídeo tinha sido relegada ao esquecimento, por obra da frenética corrida tecnológica que entrava porta adentro e despejava, a cada ano, novas máquinas digitais, novos celulares e novos *tablets*. Boa parte dos melhores capítulos da história de Vinícius e Viviana estava registrada nas pequenas fitas gravadas com aquela câmera, que o tempo e a poeira se encarregavam de corroer dia após dia. Inúmeras vezes, Vinícius encontrara a caixa de fitas no fundo do armário e não fizera qualquer movimento em direção a ela. Pois agora, uma a uma, as fitas foram reinseridas na câmera. Os momentos mais doces de sua vida voltavam ali, em cenas que a leucemia tanto insistiu até conseguir quase apagar por inteiro de dentro dele.

▶▶▶

No fim da manhã, dona Lourdes bateu à porta do escritório. Vinícius fingiu não ouvir as batidas. Ela insistiu. Ele se levantou, segurando um copo de uísque já pela metade, e abriu.

– Seu Vinícius, o senhor Salvatore está lá embaixo.

– Fala pra ele deixar minha mala na sala mesmo e voltar outra hora. Diga que eu ligo depois.

– Eu já falei que o senhor não queria ver ninguém. Mas ele disse que não vai embora de jeito nenhum.

Vinícius baixou os ombros, conformado com a teimosia do amigo.

– Tá bom. Eu já vou descer. E as meninas, onde estão?

– Elas quiseram ir pra escola, mesmo eu dizendo que não precisavam ir hoje. O Arnaldo vai buscar no fim da tarde.

Vinícius guardou a câmera e desceu ao encontro do amigo na sala. Chegou dando um gole na bebida.

– Como você tá, meu camarada? – Os dois se abraçaram e Salvatore se afastou, aconselhando: – Dá isto aqui. Seu cheiro está horrível. – Tirou o copo das mãos de Vinícius e o colocou na mesa de centro.

– Como você acha que eu deveria estar? – Vinícius se jogou no sofá.

– Não é culpa sua. Não tinha nada que você pudesse fazer para impedir. Eu sei que é dolorido, a Viviana era uma grande mulher. Mas o fim era apenas questão de tempo, você bem sabe.

– Eu sei, Sal. Mas tá doendo demais não tê-la mais aqui, e eu não podia ter permitido que ela ficasse sozinha no fim. Precisei perdê-la pra ver isso? – Ele socou o braço do sofá e colocou as duas mãos no rosto. – Eu fui muito filho da puta, um insensível. Tive milhares de oportunidades, mas não me dignei a sentar ali, segurar a mão dela e agradecer por tudo o que ela foi para mim. Eu não devia ter escrito ou lançado nenhum livro enquanto ela estava lá.

– A sua vida tinha de seguir. A Viviana estaria feliz por vê-lo cada vez com mais sucesso.

– Mas a questão é que *eu* não estou feliz. E muito menos a Valentina e a Vida. Elas estão me odiando. *Eu* estou me odiando. E odiando tudo o que não fiz pelas três todos esses anos.

– Tudo o que você *não* fez? E o tanto que você fez? Olhe ao seu redor e veja o tanto de coisas que deu para elas, fruto do suor do seu trabalho.

– De que adianta ter dado dinheiro, viagens e presentes?

– Tenho certeza de que não foi só isso o que você deu.

Vinícius começou a contar nos dedos:

– Um: minha mulher não viveu boa parte de tudo o que conquistei. Dois: a Vida não faz ideia de quem eu seja e hoje me encheu de socos. Três: a Valentina não leu meus últimos livros, não quer saber de nada das minhas coisas. Escreveu um livro com a Viviana e nunca me deixou saber. Em duas das três vezes em que a Valentina foi à Disney eu não estava! Que raio de homem eu sou, que não consegue nem ter o amor das próprias filhas?

– Tá bom. Então a questão a ser levantada aqui é: o que você vai fazer para reverter?

A pergunta fez Vinícius emudecer. Ele deixou o corpo cair para trás e fixou os olhos no teto. Salvatore compartilhou o silêncio e não se manifestou até o amigo se pronunciar.

– Não faço a menor ideia. – Vinícius suspirou.— A única coisa que sei fazer, mal e porcamente, é contar um monte de mentiras em livros que as pessoas compram.

– Que as pessoas compram e amam.

– Elas acham que eu sou as minhas personagens.

– E você é, de certa forma.

– Sou coisa nenhuma! Um escritor que monta planilha pra escolher as emoções que as personagens vão ter? Que escreve as cenas mais quentes com a maior frieza do mundo? Eu sou uma fraude!

– Uma fraude que já vendeu dezoito milhões de livros mundo afora.

– Uma fraude que já enganou dezoito milhões de leitores mundo afora. – Vinícius pegou o copo na mesa e matou o uísque em um gole demorado.

– Bom, é o seguinte: eu sou o seu agente, minha função é zelar pela sua carreira e pensar friamente, mesmo numa hora destas. Por mais complicado que seja este seu momento, eu vim aqui porque tenho uma notícia boa.

– Eu não quero nenhuma notícia, Sal. Eu quero minha família de volta.

– Entendo, mas a sua família de volta é uma coisa que vai depender da sua atitude pessoal. Quanto à profissional, não podemos relaxar. Você está no auge, todo mundo quer você.

– Mas quem eu quero que me queira, minhas filhas, não me querem de jeito nenhum. Os leitores que se danem!

– Bom, você está mesmo num péssimo dia. Mas... Olha só, aqui dentro tem o seu futuro, uma proposta capaz de elevar sua carreira a um patamar inimaginável. – Salvatore jogou um envelope pardo sobre a mesa de centro. – Se tiver interesse, depois abra e me diga o que achou.

– Não quero falar de carreira, livros, eventos, nada. Preciso de um tempo.

– Ok. Vou indo, então. Sua mala está ali. Viva seu luto do jeito que achar melhor. Só não se esqueça de que a vida segue.

– Não vou esquecer.

– E vá fazer essa barba, porque você está horroroso.

9

Vinícius abriu a mala, pegou o velho livro marrom, beijou sua capa e o devolveu ao “altar”, encostado em um apoio de madeira no meio da enorme estante do escritório. Como rezava a superstição, o livro só sairia outra vez daquele recinto para o evento de lançamento do próximo romance. De todos os títulos enfiados na prateleira, aquele era o maior, o melhor. Seu amuleto da sorte.

Passou o resto da tarde trancado no escritório, ao som das canções que embalaram muitos de seus anos com Viviana: os clássicos do rock nacional, que eles cansaram de dançar e cantar nos shows durante o tempo de namoro e primeiros anos de casados. Paralamas, Plebe Rude, Ira!, Ultraje a Rigor, Blitz. Quando a luz da lua enfeitava o fantástico terraço projetado pela esposa, sob a pérgula de madeira os dois preparavam uma tábua de queijos, abriam os melhores vinhos da adega e dançavam. *Lanterna dos Afogados, Até Quando Esperar, O Girassol, Ciúme, A Dois Passos do Paraíso.* As disputas para ver quem conseguia cantar *Faroeste Caboclo* ou *Infinita Highway* sem errar a letra. Ou então a música que haviam escolhido para sair da igreja na cerimônia do casamento, do preferido Lulu Santos, trilha sonora da relação, que eles gritavam abraçados e bêbados:

Nós somos feitos um pro outro, pode crer. Por isso é que eu estou aqui. E não há lógica que faça desandar o que o acaso decidir.

Cenas descritas em detalhes por Vinícius em seu sétimo livro, chamado *Do Tempo em que Você era Romântico*, título que veio da frase repetida frequentemente por Viviana com a intenção de cutucá-lo. Romantismo roubado pela carreira, que não seria mais devolvido à história dos dois.

Sobre a mesa do escritório, jazia o envelope que Salvatore havia deixado. Vinícius não teve a mínima vontade de abri-lo. E, de fato, não o fez. Viveria o luto da esposa sem tocar em nada relacionado à literatura, que o havia afastado dela.

⏮ ⏭

Quando o relógio bateu cinco da tarde, ele se levantou, foi até o seu novo quarto, vestiu uma jaqueta de couro e desceu à garagem. Arnaldo se preparava para ir buscar as meninas em suas escolas.

– Oi, Arnaldo. Pode deixar que hoje eu pego as meninas. – Colocou uma nota de cinquenta na mão dele. – Pega o Volvo, chama a Lourdes e vão ao cinema.

– Mas o senhor não prefere que eu...

– Não! Pode deixar.

– O senhor sabe onde ficam as escolas? – Arnaldo coçou a barba, desconfiado.

– Sei sim, claro... – Vinícius levantou uma sobrancelha e perguntou: – Qual é mesmo o nome da rua onde fica a escola da Valentina?

Entrou no Audi e acelerou. Chegando ao pórtico do condomínio, encostou o veículo no meio-fio. Não se lembrava do melhor caminho para a escola da filha menor. E, desde o início do ano, Valentina passara a frequentar a nova escola americana da cidade. Nunca tinha ido buscar as filhas. Aliás, tinha matriculado as duas em período integral para ter o mínimo de trabalho possível. Digitou no GPS o nome da escola de Vida e em quinze minutos chegou ao local. Perguntou ao porteiro onde ficava a sala do jardim 1. A filha brincava com as outras meninas, de costas. Os cabelos loirinhos balançavam e ela dava socos no chão, para amassar um punhado de massinha colorida. Por alguns instantes ele ficou ali, perguntando-se o motivo de nunca ter ido até lá e vivido momentos tão doces. Havia um ano a filha passara a frequentar a escola. Mais de duzentas chances de ver aquela cena, todas elas presenciadas apenas pelo motorista.

A menina se virou e o viu, e os dois abriram enormes sorrisos. Ela veio correndo até perto dele com a boca aberta. Faltava um dente embaixo, motivo da felicidade da pequena.

– Papaiiii! – o gritinho saiu agudo. – Meu dente caiu.

– Ô, meu amor! – O alívio pela reação de Vida ter sido diferente daquela da mesma manhã, foi traduzido num forte abraço. Provavelmente ela nem se lembrava do motivo de tê-lo socado. – Que legal! Agora você já é uma moça. Guardou o dente?

– Claro. Vou vender pra fada do dente.

Vinícius colocou a menina nos ombros e os dois foram até o carro. Prendeu-a na cadeirinha e selecionou uma canção alegre. Digitou no GPS o nome da rua onde ficava a escola de Valentina e acelerou.

– Papai, não é que você é escritor?

Ele posicionou o espelho retrovisor para vê-la.

– Sim, filha!

– É porque hoje lá na escola a tia perguntou qual era o trabalho do pai da gente e eu não sabia. Você trabalha também?

– Ô, meu amor, escrever é um trabalho.

– Ah, não é não. O pai da Lulu e da Lalá vai todo dia lá buscar elas de roupa de trabalho.

– A roupa se chama terno, filha. Mas é assim mesmo. Eu não trabalho de terno. Nem todo mundo trabalha de terno.

– Eu acho que tem que ter roupa de trabalho. Senão, todo mundo vai rir de mim. Ou então eu não quero que você me pega mais. O tio Arnaldo vem de terno.

– Não é “pega”, é “pegue”.

– Pegue.

– E ninguém vai rir de você, meu amor.

– Vai sim. A Ingrid falou que o pai dela falou que a mãe dela falou que você não trabalha.

– E quem é a mãe da Ingrid para falar sobre o meu trabalho?

– Ah, é a mãe da Ingrid – Vida explicou, com sua voz fina, olhando para a janela.

– Depois eu vou falar com ela e...

– Ô pai!

– Oi, filha. Fala.

– Por que a mamãe morreu?

– Porque ela estava doente. E o papai do céu a levou lááá pra perto dele.

– Papai do céu é mau?

– Ele é bom demais.

– Mas por que ele pegou ela, então?

– Porque ela tava dodói, e lá no céu ela vai pra um hospital bem joia e não vai mais ficar dodói.

– Ah... Ô pai!

– Fala, filha.

– Quando eu crescer, quero ser avó de gada.

– Avó de quem?

– A mãe da Ingrid é avó de gada.

– Não seria "advogada"?

– Isso, avó de gada. O que é avó de gada?

– Nossa, Vida, hoje você tá que tá, hein?

– Olha ali a escola da Valentina. – Ela apontou para a esquerda.

Estacionaram em frente à entrada. Os alunos foram saindo e nada de Valentina aparecer. Vinícius preferiu ficar dentro do veículo aguardando. Não podia prever a reação da filha à presença do pai que jamais aparecera. O sol foi baixando, próximo das seis e quinze, e a dispersão já era quase total. Telefonou para o celular dela. Uma, duas, três vezes. Valentina não atendeu, então os dois desceram do carro e foram à diretoria. Após a diretora consultar a professora e informar que a menina não havia comparecido à aula, veio um misto de indignação e medo. Imediatamente ele telefonou para dona Lourdes.

– Ela acabou de chegar e se trancou no quarto – foi a resposta da governanta.

Vinícius correu para o carro e voou para casa. Espumava pela boca. Em poucos minutos estacionou, entregou Vida para dona Lourdes e foi direto ao segundo andar, pisando firme. Bateu à porta do quarto de Valentina.

– Abre! – ele gritou.

Ela não respondeu, e ele começou a esmurrar a porta.

– Abre esta porta agora. Não me desafia, sua moleca! – ele gritou ainda mais alto.

Enfim ela destrancou a porta. Vinícius entrou respirando muito fundo para tentar se controlar.

– Onde você estava?

– Por aí.

– Por aí coisa nenhuma! – Ele colocou o indicador no nariz dela, a respiração forte e os dentes travados.

– Com as minhas amigas, que são quem importa pra mim agora.

– Deixa de ser infantil. Você já tem quase dezessete anos.

– E tô doida pra fazer dezoito e sumir da sua vida – ela respondeu quase em cima da frase dele. Resposta que parecia ensaiada, como se Valentina soubesse que ouviria aquilo mais dia, menos dia.

– Pois se a madame acha que encarar o mundo é fácil, vai lá. Tenta. Vai viver de quê?

– Dou um jeito. Tenho um ótimo exemplo dentro de casa de alguém que – ela fez o sinal de aspas – venceu na vida sem trabalhar.

– Sem trabalhar? Você é uma pirralha que não sabe nada da vida, não sabe o que é ralar para conquistar tudo isto aqui. – Ele apontou para a casa.

– Preferia morar numa favela e ter minha mãe de volta.

– Você acha que sua mãe morreu por causa dos meus livros. Você acha que a sua mãe morreu por causa dos meus livros?

– Eu...

– E que cheiro é esse? – Vinícius se aproximou de Valentina e só então se deu conta de que ela não estava em seu estado normal. – Você bebeu?

– Bebi, sim. Por quê? Já tenho dezesseis, todas as minhas amigas bebem.

Ele cravou os dedos no braço da menina e, sem dizer uma palavra, puxou-a para dentro do banheiro do quarto.

– Ai, me solta, seu estúpido – ela foi gritando e dando socos no peito dele com a outra mão.

Vinícius abriu a água gelada do chuveiro e a segurou embaixo por alguns segundos. Ela começou a chorar. Ele também.

Valentina escorregou até o chão, os cabelos e a roupa encharcados. Encolheu-se no canto, as mãos cobrindo o rosto. Se fosse possível, ela se fundiria aos azulejos frios e desapareceria. Vinícius saiu de costas, bateu a porta do banheiro, bateu a porta do quarto dela e foi para o seu quarto. Bateu a porta e também foi esfriar a cabeça no chuveiro.

m t r s e h z

10

Havia muito tempo Vinícius não ia para o terraço. Ficar lá sozinho não seria o mais recomendado, caso desejasse fugir da dor que a saudade grudava em seu peito. Mas ele precisava passar por aquilo. Subiu com o *notebook* e lá abriu o frigobar e tirou uma garrafa de Trooper, a cerveja do Iron Maiden. Pediu para dona Lourdes lhe servir alguma coisa para comer, qualquer coisa. Nem estava com tanta fome assim.

Em pouco tempo, dona Lourdes trouxe um prato de carpaccio com molho de mostarda e alcaparras, que colocou sobre a mesinha redonda de madeira. Acendeu uma vela no candelabro e perguntou:

– O senhor ainda vai precisar de mim hoje?

– Não, Lourdes. Pode ir dormir. Obrigado, viu?

– A Vida já está dormindo, pode ficar tranquilo.

– E a Valentina?

– Trancada no quarto.

– Vou pensar no que fazer.

– Seu Vinícius, eu... Desculpa me intrometer...

– Sem problemas, Lourdes. Quero a sua ajuda, pode falar. Você conhece a Valentina e conheceu a Viviana muito melhor do que eu, isso é fato.

– Bom, eu acho que o senhor deveria ir com calma. A Valentina está sofrendo demais a morte da dona Viviana. Só eu sei o tanto que ela pedia a Deus para a mãe melhorar.

– E eu sempre viajando...

– Eu não queria dizer, mas... Eu sei que é a profissão do senhor e tudo. Realmente, a sua ausência foi muito sentida por aqui.

– Pensei demais em mim. Só agora vejo isso. E não quero perder também as minhas filhas.

– Eu posso dizer que o senhor é o maior ídolo da Valentina. E vai ser difícil ela aceitar que o ídolo dela tenha falhado.

Ele olhou para longe, em direção à floresta.

Dona Lourdes deu um tapinha nas costas de Vinícius, pediu licença e se retirou. Ele deixou a garrafa sobre a mesa, pegou uma nota de cinquenta reais e foi até o quarto de Vida. Com cuidado, levantou o travesseiro e fez o papel de fada do dente. Trocou o dente pela nota, acariciou o rosto da filha e voltou ao terraço. Sentou e tomou um demorado gole da cerveja.

"O que você vai fazer para reverter?", a pergunta de Salvatore voltou com força à sua mente e ele a repetiu para si mesmo, em voz baixa:

– O que você vai fazer para reverter, Vinícius Becker?

No programa que rodava as canções, ele criara uma microlista com apenas três, todas chamadas *So Far Away*. Carole King, Dire Straits, Donavon Frankenreiter. Programou para que as músicas se repetissem infinitamente. Vento frio, olhos fechados, apenas a luz da lua. Carole King, Iron Maiden, Dire Straits, Iron Maiden, Donavon Frankenreiter, Iron Maiden; Carole, Iron, Dire, Iron, Donavon, Iron. As músicas iam entrando, saindo, se repetindo, indo, voltando, e cada trecho da letra trazia um lamento pela falta de Viviana. Ele fechou os olhos, sentiu a presença da ex-mulher e se lembrou das inúmeras vezes em que dançaram, beberam, riram e fizeram amor ali mesmo.

Após mais uma série de execuções, ele abriu os olhos e se assustou com a presença de uma silhueta que a luz da lua delineava. Por um instante mínimo, fruto da quantidade de cerveja na mente, imaginou que Viviana estivesse ali para acordá-lo de um pesadelo no qual ela tinha morrido de leucemia, e levá-lo para dormirem juntos no quarto. Os olhos então foram pegando foco e ele percebeu Valentina, de pijama, sentada numa cadeira a poucos metros da sua. Não imaginava quanto tempo ela teria esperado ali. Ele passou a mão nos cabelos e se endireitou.

– Eu queria pedir desculpas por ter bebido e matado aula – ela disse, de cabeça baixa.

– Tudo bem, filha. Muito do que tem acontecido eu sei que é minha culpa e...

Valentina se levantou e foi arrastando o chinelo para dentro.

Vinícius não foi atrás. Sabia o quanto deveria ter sido duro para ela subir ao terraço e dizer aquela frase. Pegou mais uma garrafa de cerveja, levantou-a e, olhando para o reflexo da lua no lago à frente, disse:

– A você, Vivi, meu amor eterno. Descansa em paz.

O vento soprou frio e ele se encolheu na cadeira. Carole, Dire e Donavon continuaram seus *So Far Away's* até ele perder definitivamente o jogo para o Iron Maiden.

a t g s h

11

Vinícius não se lembrava da última vez em que levantara tão tarde. Disciplina para escrever havia sido a maior lição tirada do processo. *Encontre seu estilo, faça dele sua religião. Encontre seu público-alvo, faça dele seu rebanho. Encontre um lugar para escrever, faça dele seu santuário. Encontre um horário para escrever, faça nele sua prece. Escreva qualquer coisa, mesmo que não signifique nada. Se a inspiração para algo novo falhar, pesquise, leia, defina, conserte, rearranje, corte. Trace uma meta de palavras por dia. Transforme-se numa máquina de escrever*. Sempre acostumado a começar as primeiras palavras do dia antes de o sol raiar, ter acordado no dia seguinte pouco depois das duas da tarde trouxe a constatação de que algo andava mesmo errado.

Tomou banho e desceu para almoçar.

– Boa tarde, seu Vinícius. Vou esquentar o prato do senhor.

– Obrigado, Lourdes. E as meninas, na escola?

– Sim.

– Algum comentário?

– A Vida estava indignada.

– Por quê?

– Disse que não viu o brilhinho da fada do dente e que ela só deixou um dinheiro. Jogou a nota no lixo, mas eu a peguei de volta.

– Mas era uma nota de cinquenta... Ah, deixa pra lá, fica pra senhora. E a Valentina?

– Acordou muda e saiu calada.

Ele pegou o prato e subiu para o escritório. Mil e duzentas palavras por dia, a meta autoimposta desde o início. Para descarregar tudo o que estava sentindo, precisaria de, no mínimo, cinco mil. Sentou-se em frente ao computador, repousado sobre uma enorme mesa de madeira, de frente para uma janela do chão ao teto que revelava a vista do gramado até o lago e a floresta. Ao lado do teclado, o envelope que Salvatore havia lhe dado. Vinícius mais uma vez não o abriu. Queria escrever para Viviana e pedir perdão, como se uma mágica pudesse fazer a mulher receber suas palavras. Ligou o computador.

Tela em branco, cursor piscando, olhar perdido, impotência, fraqueza e vacilação dos dedos sobre o teclado. Em seu penúltimo livro, o *best-seller Quando as Folhas não Caírem Mais*, ele havia escrito uma carta de despedida considerada um dos mais belos trechos da recente literatura nacional. Na frieza de seu objetivo de vender, ele tinha se superado. Quantos leitores afirmaram que choraram e tiveram uma ressaca pós-livro? Agora, na sinceridade pedida pela situação, palavras que deveriam vir do meio de seu coração, Vinícius não conseguia. O cursor piscou, piscou e piscou muitas vezes até preencher uma hora de imobilidade. As palavras de um de seus favoritos, Jack Kerouac, vieram à mente: *A página é comprida, está em branco, cheia de verdades. Quando eu acabar com ela, provavelmente estará comprida, cheia – e vazia com palavras*. Pois ele sentia que o branco da página era o mais sincero a dizer a Viviana. Palavras não conseguiriam pedir o perdão verdadeiro. Nada seria resolvido com um belo texto, não mesmo. Esse perdão teria de vir acompanhado de algo maior, muito maior.

O almoço foi consumido de forma mecânica, em silêncio, como se o tempero sempre caprichado de dona Lourdes tivesse transformado arroz em papel, feijão em isopor, filé em solidão. Vinícius não teve vontade de escutar música, ligar a TV ou navegar pela internet. Sem amigos, sem esposa, sem filhas. O lugar pelo qual ele tanto havia lutado revelava-se o lugar em que ele nunca havia desejado estar.

Desceu as escadas e foi até o quarto de Vida. Admirou, sobre a cômoda, as fotos da menina abraçada à mãe. Nenhuma foto dele. Os desenhos pregados na parede traziam sempre uma menina loirinha, de mãos dadas com uma pessoa grande. Às vezes parecia Viviana, às vezes, Valentina. Na maioria delas, não lembrava ninguém. Talvez um desenho em giz de cera vermelho, lembrando um lagarto ou dinossauro, fosse a referência mais próxima ao pai que nunca aparecia.

Tomou coragem e seguiu até o fim do corredor. Havia meses não entrava sozinho no quarto de Valentina. A porta sempre fechada indicava a resistência da menina às coisas daquela casa. Vinícius a empurrou e o universo da filha se abriu. Em oposição ao mundo de fadas da irmã menor, aquele era o típico quarto de adolescente. Quatro pequenos quadros sobre a parede esquerda formavam uma cruz: os Beatles atravessando a Abbey Road; Robert Pattinson; Anne Hathaway; e, por último, o cartaz do filme *Um Amor para Recordar*. Na parede ao lado do banheiro, um quadro retangular com uma panorâmica de Londres. O Tâmisa, o Palácio de Westminster e o Big Ben em primeiro plano. A colcha da cama florida revelava a doçura que a filha não deixaria nunca de ter. O violão preto, tamanho infantil, presente no aniversário de doze ou treze anos, ele não se lembrava bem, continuava apoiado no suporte. Ele sentiu saudade de ouvir a filha tocar e cantar as composições gostosas e inocentes que ela fazia, a que ele nunca tinha dado muita atenção. Na estante, um retrato de como Valentina se parecia com ele: dos internacionais aos nacionais, dos clássicos aos presentes nas recentes listas de mais vendidos, de Cervantes à coleção completa da escritora favorita, Catherine Hess. Sobre o criado-mudo, a pilha de títulos que ela lia simultaneamente: Anne Tyler, Tammy Luciano, Nicholas Sparks, Felipe Colbert, Emily Giffin.

Em todo o quarto, nenhum título do renomado escritor Vinícius Becker...

Na parede ao fundo, letras rabiscadas em giz de cera roxo traziam o trecho de uma das histórias de Catherine Hess:

A criança olha para o céu e diz que apenas o sol corre por trás das nuvens. O adolescente, que apenas as nuvens correm pela frente. O adulto, que os dois correm em velocidades diferentes. Pois o velho sábio sorri e afirma: enquanto o sol brilhar e as nuvens fizerem sombra, os três estarão sempre 100% corretos.

Sobre a cômoda, o *notebook* aberto e a tela escura. Ao lado, um papel com um coração e a frase rabiscada: "Viviana, amor eterno". Quando ele foi pegar o papel, esbarrou no *mouse* e a tela se acendeu...

12

A foto que preenchia a área de trabalho do computador mostrava Valentina, Viviana e Vida. As três sorriam, cada uma sentada num balanço de madeira de um parque verde com folhas secas pelo chão. O balanço mais à direita, vazio, inerte. Crianças ao fundo, céu muito azul. Vinícius não fazia ideia de onde aquela foto havia sido tirada, não reconhecia o local. Também não sabia quem havia tirado. Provavelmente dona Lourdes, em um dos inúmeros passeios que as quatro fizeram. Vida parecia ter em torno de três anos. Viviana trazia, amarrada à testa, a bandana laranja usada para esconder a falta de cabelos imposta como efeito colateral da quimioterapia. Mais um passeio que ele não fez, outro instante roubado pelo egoísmo. Sentiu saudade daquele momento que não tinha vivido. Por que não tinha sido ele a empunhar a câmera? Por que não era ele sentado no quarto balanço? O que as três fizeram antes da foto? E depois? Foram tomar sorvete, a coisa que Vida mais amava no mundo? Pegaram um cinema, saíram para lanchar, fizeram piquenique? Falaram dele, sentiram sua falta? Ou simplesmente continuaram a aceitar suas ausências como parte da ordem natural das coisas e nem se importaram?

No rodapé da tela, a barra de tarefas da área de trabalho trazia três abas fechadas. A primeira, um ícone de caixa de e-mails. A segunda, um documento em Word com o título em caixa-alta “A SAUDADE QUE O TEMPO...”. A terceira, um vídeo.

Vinícius titubeou. Pensou em clicar nas três abas e descobrir um pouco mais do que Valentina andava pensando, sentindo, fazendo. Invadir a privacidade da filha era algo que ele jamais imaginara fazer. Não seria justo levar aquilo adiante, não podia arriscar uma relação já no limiar do fracasso sem retorno, caso ela descobrisse que ele tinha visto os e-mails, lido um texto, assistido a algo que poderia ser só dela. O coração acelerou, ele vacilou, apertou os lábios e então abaixou a tela do *notebook*.

Por alguns instantes ficou ali, com a mão sobre o aparelho. Os olhos foram para um lado e para outro. Então, num movimento rápido, antes de ser demovido pelo arrependimento, abriu novamente e a tela se acendeu. Pegou o *mouse*, clicou na primeira aba e a tela da caixa de e-mails de Valentina foi maximizada. Um texto aparentemente incompleto, para um e-mail de endereço "bcv.88@gmail.com":

Querida amiga, eu não sei mais o que fazer de saudade da mamãe. Você é a única que me entende, e eu queria contar tanta coisa sobre ela, sobre como eu a amava! Você já sabe de quase todos os meus sentimentos, nunca escondi nada. Mas, se fosse possível, gostaria demais de saber o que você faria se estivesse no meu lugar. Me ajuda! Eu não suporto como o Vinícius encarou tudo o que aconteceu com a mamãe. Como ele pôde ser tão ausente? Ela o amava mais do que tudo nesta vida, e ele trocou tudo por viagens, eventos, festas, pelo desejo egoísta de.

O texto terminava no ar, ainda não enviado, e revelava muito do que Valentina sentia. Em tão poucas linhas, a tradução do desgosto diante da negligência com as relações matrimonial e paternal. Vinícius não precisaria imaginar o resto para entender o estrago causado por sua postura na imagem que a filha um dia teve dele. Ler frases escritas a alguém que ele não fazia ideia de quem era veio arrebentando seu peito. Valentina nunca tinha falado tão diretamente a ele as coisas confidenciadas à amiga. O mais dolorido: ela não se referir a ele como "Pai", mas como "Vinícius". Distante, frio, cheio de raiva. Ele precisava descobrir coisas sobre Valentina, e certamente a confidente não negaria o pedido de um pai, ou melhor, do "grande" Vinícius Becker. Procurou um papel e anotou o endereço de e-mail. Minimizou a tela.

Maximizou a segunda, o documento Word. O título, então, apareceu completo: "A SAUDADE QUE O TEMPO É INCAPAZ DE APAGAR – por Valentina Coltelli". Um livro. Leu a primeira página, e nos três parágrafos percebeu a força do texto da filha. Nunca havia lido nada que ela tivesse escrito. Até o enterro de Viviana, ele nem sabia que ela escrevia! Pois a menina despejava paixão e ódio em suas linhas. Texto caótico, mas a evidente falta de técnica não diminuía a força das imagens e cenas criadas. A emoção tomou conta de Vinícius. Ele correu até o escritório e trouxe um *pen drive*. Salvou o texto para ler depois. Pela hora, Arnaldo já deveria ter saído para buscar as duas nas escolas e eles não demorariam a voltar.

Por fim, clicou na aba do vídeo. E as cenas a que ele assistiria mudariam para sempre a sua vida...

m r e
g h

13

O rosto de Viviana surgiu em close, iluminado pela luz do sol que atravessava as janelas do quarto. Semblante cansado, olheiras fundas, maçãs do rosto proeminentes, manchas a escurecer sua pele alva e a camuflar suas sardas, o eterno charme. Retrato que, por duro que se apresentasse, era incapaz de esconder os traços delicados, resultantes da mistura hispano-italiana da esposa. A bandana laranja fazia o tom colorido da cena. Ao fundo, o encosto da cama, os finos canos de soro por trás, os lençóis brancos.

Uma voz em *off* surgiu, que prontamente Vinícius reconheceu como de Valentina:

– Bom dia, meu povo. Estamos aqui hoje, nesta ensolarada manhã de 7 de maio, num quarto do hospital Albert Einstein, cidade de São Paulo, Brasil, para entrevistar a linda arquiteta Viviana López Coltelli.

Viviana sorriu, piscou lentamente e completou, na voz rouca e pausada imposta pela falta de força:

– Entrevistadora, você se esqueceu do "Becker" ao final.

Vinícius sorriu.

A voz de Valentina continuou:

– Detalhes, detalhes... Vamos ao que interessa: os telespectadores querem muito saber quais coisas você gostaria de ter feito na vida e que não realizou ainda. *Ainda*, eu gostaria de reforçar. Porque você vai sair daqui forte para realizá-las.

Viviana sorriu com dificuldade e suspirou.

– Ah, nossa! Tantas coisas... Posso pensar?

– Um minuto. Produção, produção? Ela pode pensar? Hum... Sim... Ok, pode. Temos bateria pra duas horas ainda.

– Qualquer tipo de desejo?

– Nada de desejos pra aparecer nos jornais. Os telespectadores querem saber os seus desejos mais íntimos, mais fofos, mais impossíveis, escondidos no fundo da sua alma e que você nunca contou pra ninguém.

– Mas, se eu nunca contei pra ninguém, como vou revelar, assim, pro mundo inteiro?

Valentina virou a câmera para o próprio rosto e disse, com o nariz colado na tela:

– Mas que linda arquiteta mais complicada, produção.

Lágrimas começaram a descer pelo rosto de Vinícius, e ele deu risada do jeito da filha. A imagem voltou para o rosto de Viviana.

– Tá bom, vamos lá... – Viviana jogou os olhos para o teto e apertou os lábios. Continuou a dizer: – Quantos desejos eu tenho?

– Hum... Que tal cinco?

– Certo. Primeiro desejo: que você, minha querida entrevistadora, faça a coisa que mais ama no mundo. Aquela escondida no fundo do seu coração. Que vai colocar um gigantesco sorriso em seu lindo rosto e vai fazê-la se lembrar de mim para sempre.

– Mas esse desejo é pra mim ou é pra você?

– Se você o satisfizer, então será como se eu mesma estivesse realizando.

– Tá bom, não vou reclamar. Segundo desejo.

– Igual ao primeiro, mas transferido para a Vida.

– Desse jeito não vai sobrar nada pra você.

– Os desejos são meus ou seus, entrevistadora?

– Seus. Mas assim os telespectadores não vão se interessar pela matéria. Terceiro desejo.

– Hum... Eu sinto saudade demais da minha avó. Quando eu era pequenininha que nem a Vida, ela me pegava no colo, fazia cócegas nas minhas costas para eu dormir. – A voz saía cada vez mais fraca e pausada. – Nossa, como era bom aquilo! Saudade do perfume que a vovó tinha. Era um perfume de flores. E sabe que ela era uma grande dançarina? Colocava uma roupa vermelha linda e dançava. Eu queria estar com ela de novo.

– Este vai ser difícil de realizar. A bisa está lá no céu e você vai demorar anos e anos pra chegar lá. Mas vamos seguindo... Quarto.

– Que difícil isso! – Viviana levou a mão lentamente até o rosto, os dedos finos e frágeis. – Eu gostaria de ter tido a oportunidade de falar da minha profissão para os jovens. Tentar transmitir o tanto que é bom fazer as coisas que amamos, que nos fazem felizes. De que adiantou eu ter estudado tanto se não fosse pra aplicar pro bem? Eu voltaria no tempo e seria mais ativa e menos egoísta com o meu trabalho, é isso.

– Boa! Quinto.

– Acho que... Eu queria dançar, sob a luz da lua e das estrelas, no melhor lugar que existe e cercada pelas pessoas que mais amo, a canção mais gostosa que já foi feita.

– Esse foi lindo. Mais fácil de realizar.

Viviana deu um sorriso entristecido e completou:

– Posso pedir mais um?

– A produção autoriza um sexto e último desejo? – O vídeo ficou em silêncio por alguns instantes, a imagem parada nos olhos tristes de Viviana. O *zoom* preencheu a tela com seu rosto.

– Desejo concedido.

– Eu quero que a Família V esteja completa ao meu lado quando eu for embora e... – Viviana então começou a chorar.

Após breve silêncio, ouviu-se também o choro de Valentina.

– Você vai realizar todos eles, mamãe. Tenha fé em Deus que vai, por mais do fundo da alma, fofos e impossíveis que pareçam.

Então o vídeo passou a filmar apenas um pedaço da cena das duas se abraçando, até apagar.

Na noite daquele 7 de maio, Vinícius era ovacionado a centenas de quilômetros de distância. Na noite daquele 7 de maio, Viviana morreu. E, na noite daquele 7 de maio, seu sexto e último desejo não foi atendido...

14

Vinícius copiou o vídeo no pendrive, minimizou as telas, deixou tudo como antes e saiu para o seu quarto, atônito e perdido. No corredor, andou para o lado errado, desceu alguns degraus, voltou, parou, olhou para o teto, para o chão. O choro descia pelo rosto, os soluços ecoavam pela enorme sala, os ombros subiam e desciam. Entrou no quarto, pegou o celular e ligou para Salvatore.

– Finalmente o meu escritor favorito saiu da toca. Viu lá o envelope?

– Sal, cancela todos os meus compromissos, por favor.

– O quê? – Salvatore gritou. – Só se você estiver maluco! O que foi? Você tá chorando?

– Eu preciso sair com as minhas filhas daqui.

– O que aconteceu, Vinícius Becker? – O tom de Salvatore ficou sério.

– Tenho que resgatar minha família, e não há outra forma de fazer isso se não for o mais depressa possível.

– Bicho, você está bem? Conta pra mim o que houve.

– Cancela tudo, porque se não cancelar eu não vou aparecer e isso vai te queimar.

– Mas e os lançamentos? Um monte de livrarias reservadas, a imprensa toda avisada, seus fã-clubes organizados para receber você. Você já está vendendo um monte do livro novo. Não faz isso, pelo amor de Deus!

– Não tem como. Preciso sumir um tempo.

– Nem pensar. É a sua carreira que está em jogo.

– MINHA CARREIRA O CARALHO! – Vinícius berrou. – O que está em jogo é a minha família. Chega de pensar só em mim.

– Tudo bem, você é o chefe aqui. Só te digo que a credibilidade, sua marca registrada no mercado, pode ir por água abaixo.

– Cansei de ser o certinho.

– E você vai pra onde?

– Não sei ainda, mas quando souber não vou falar. Não vou levar celular, *tablet* nem qualquer forma de contato.

– E vai me deixar aqui assim, com o problema na mão?

– Você é muito bem pago pra isso!

15

Vinícius pediu para dona Lourdes fazer cheeseburgers e fritar batatas para o jantar. *Catchup*, mostarda, maionese e Coca-Cola.

– Papai, a mamãe disse que tomar Coca-Cola dá furo na bunda – Vida comentou, sentada na cadeira alta da mesa.

– Eu sei, meu amor. E a mamãe estava certa. Mas de vez em quando não tem problema, tá bom? De sobremesa, adivinha o que tem.

– Sorvete? – Vida gritou.

– Acertou.

– Eu adoro sorvete, papai. – Ela levantou os braços.

– E eu não sei?

Valentina não esboçava qualquer reação.

– Filha, não vai comer?

– Este jantar... Pra quê isso?

– Eu nunca mais tinha jantado com as minhas filhas, então esta é uma boa oportunidade pra gente conversar.

– Eu nem tô com fome. – Valentina deu de ombros.

– Tudo bem, você não precisa comer. Mas que está delicioso, isso está. Não é, Vida?

– Delicioso! – a pequena gritou, com a boca cheia de maionese.

Vinícius resolveu tentar alguma informação sobre a amiga do e-mail cujo endereço ele havia copiado.

– Valentina, me conta das suas amigas.

– Contar o quê?

– Quem são, onde estão, quais os nomes, se você tem amigas mais velhas, mais novas. Essas coisas.

– Eu tô achando isto tudo aqui muito falso. Prefiro não falar.

– Bom, eu vou respeitar. Agora, me dê ao menos a chance de saber mais de você e de reconquistá-la, filha.

– Olha, eu... – Valentina se virou e saiu chorando para o quarto.

– Papai, o que ela tem?

– Ela está com saudade da mamãe, Vida. Só isso.

Vinícius terminou seu sanduíche e, sem pressa, preparou um prato com um *cheeseburger* e muitas batatinhas em volta. Encheu um copo com refrigerante. Subiu até a porta do quarto de Valentina e bateu. Ela não respondeu, e ele apenas disse:

– Seu jantar está aqui no chão. Se você sentir fome... – Repousou o prato em frente à porta e desceu.

⏮ ⏭

Um pouco mais tarde, Vinícius foi colocar Vida para dormir. O prato já não se encontrava mais no chão. Quando a pequena caiu no sono, ele subiu ao escritório. Então abriu um novo e-mail em branco e copiou, no local do destinatário, o endereço que havia anotado: "bcv.88@gmail.com". No assunto, anotou: "Sobre Valentina Becker – Uma ajuda". Por fim, tomou coragem e escreveu:

Olha, não nos conhecemos. Quer dizer, talvez você me conheça. Sou o pai da Valentina, meu nome é Vinícius Becker. Já deve ter ouvido falar de mim, se não por meus livros, certamente pela raiva que a sua amiga Valentina tem de mim. Peguei seu endereço de e-mail por acaso, e sei que vocês conversam, que ela se abre. Antes de continuar ou perguntar qualquer coisa, quero pedir a você a promessa de sigilo total desta conversa. Caso você ache melhor não conversarmos, e caso ache que não conseguirá não contar a ela que en-

viei esta mensagem, vou parar por aqui (e implorar que não conte a ela). Mas, se puder conversar comigo em absoluto sigilo, eu mando outro e-mail. Aguardo seu contato.

Enviou, na torcida para que a amiga respondesse e não comentasse com Valentina. Arriscado, mas, no entendimento de um pai desesperado, era a luz de emergência que brilhava na escuridão e indicava uma possível saída para longe do incêndio.

Em seguida, abriu mais uma vez o vídeo de Valentina e Viviana. Pouco mais de cinco minutos sobre algo que ele jamais havia pensado. Uma cena muito além de toda a inspiração ou coragem que nunca tivera para contar em um de seus livros. Seu grande amor ali, expondo seus maiores desejos e sonhos em seu último dia de vida. Desejos que ele nunca parara para perguntar quais seriam, nunca se importou em desvendar e menos ainda em realizar de surpresa. Voltou o vídeo para o começo. Pausou. Abriu um documento em branco no Word. Clicou no *play* novamente. Foi anotando e pausando. Mais uma vez a emoção tomou conta, traduzida pelo arrepio na espinha e pela vontade absurda de ter o dom de voltar no tempo.

Voltou o vídeo para o começo. Clicou no *play* novamente. Mais uma vez a emoção tomou conta, traduzida pelo arrepio na espinha e pela vontade absurda de ter o dom de voltar no tempo. Entrou na internet e começou a navegar. Navegou até as três da manhã, quando o sono se apresentou como uma paulada na nuca que derrubou sua cabeça até ele quase bater a testa no teclado. Salvou tudo, desligou e dormiu sentado.

16

– Levanta, fadinha – Vinícius sussurrou, sentado na borda da cama de Vida e acariciando os cabelos da menina. Trazia na mão um copo de canudo, cheio do leite quente batido com o pó de baunilha preferido da filha.

Ela só abriu os olhos e colocou com força o copo na boca. Franziu a testa e lançou para ele um olhar verde e desconfiado, talvez pela surpresa de nunca ter visto o pai tão cedo. Vinícius começava a escrever diariamente às cinco e meia, e jamais abrira mão da rotina para ajudar com os preparativos das filhas para a escola. Tudo sempre ficara a cargo de dona Lourdes ou de Viviana, e a possibilidade de ele descer do escritório para ajudar nunca fora questionada pela esposa. *Deixe, é o trabalho dele*, ela afirmava quando a pequena Valentina cobrava que o pai a levasse para a escola.

– Bom dia, papai. – Vida terminou de beber, entregou o copo e sorriu.

E, mais uma vez, ele se perguntou o porquê de nunca ter presenciado a cena das filhas abrindo os olhos e se arrumando para conhecer as coisas do mundo. Rebeca, uma de suas mais queridas personagens, a menina de seu segundo livro, *O amor que ninguém conhece*, não tinha metade da doçura, um terço da inteligência, um décimo da espirituosidade de Vida e Valentina. O "laboratório" dentro de casa, jamais usado. *Eu construo minhas personagens pela observação minuciosa de pessoas à minha volta*, a frase decorada e largada nas entrevistas, em resposta às velhas perguntas. Se as próprias filhas eram personagens prontas que ele nunca havia retratado em suas histórias, a frase soava mesmo uma mentira.

Vinícius aprontou a filha: vestiu o uniforme, escovou os dentes, penteou os cabelos loiros e conseguiu um par torto de marias-chiquinhas. Entregou-a para dona Lourdes e foi bater no quarto de Valentina.

Em vinte minutos, a filha mais velha apareceu na cozinha e os dois sentaram para tomar o café da manhã.

– Bom dia, filha. Hoje eu vou levar vocês à escola.

– Fala sério!

Vinícius não queria reabrir o conflito permanente e velado entre os dois, então mudou de assunto.

– Filha, por que você não me mostrou o texto que escreveu com a mamãe? Talvez eu tivesse aprendido mais sobre você e sobre ela.

– Você precisava *ler* pra conhecer mais sobre sua própria esposa e sua própria filha? – Valentina ironizou e deu um gole no leite.

– Cada um tem seus métodos...

– A gente não aprende lendo, aprende vivendo. E a vida, por mais que uma quantidade enorme de pessoas acredite nisso, não é feita de métodos, fórmulas, dicas ou listas de recomendações. Ela é feita de sentimentos pelas pessoas que estão ao lado, ou por aquelas que estão longe, mas que, só por pensarem na gente, já fazem toda a diferença.

– Eu sei. Já criei muitas histórias que falam sobre isso que você disse.

– Pois se ainda assim você acha a vida parecida com os mundos que inventa nos seus livros, saiba que está enganado. Há um mundo aqui fora muito mais perfeito.

– Nunca é tarde para tentar reaprender. – Vinícius mordeu o pão.

– Não quando a pessoa que a gente mais poderia ter amado foi embora e nunca mais vai voltar.

– Sua mãe foi a pessoa que eu mais amei, junto com você e a Vida. E, se eu não posso voltar no tempo, tudo o que mais quero é tentar consertar um pouco os erros e...

– Eu vou me atrasar. Hoje é o último dia de provas. Acho melhor o Arnaldo levar a gente. – Valentina olhou para o teto.

Só restou ao pai baixar os ombros e resignar-se:

– O Arnaldo leva vocês.

m t g r s h z

17

Vinícius passou o resto da manhã debruçado sobre o computador, pesquisando e esperando o e-mail de resposta da amiga de Valentina. Durante o almoço, mais uma vez sozinho, pediu a dona Lourdes que o servisse no terraço. Levou o *notebook* para lá e, entre uma garfada e outra, começou a ler o livro copiado do computador de Valentina. O talento da menina para contar histórias era nítido. Tema forte, personagens cheias de dimensões, diálogos concisos e linguagem sem erros grosseiros de gramática ou concordância. *Se ela conhecesse as melhores técnicas de escrita, venderia muito mais do que eu*, ele pensou.

Então, logo após a sobremesa, avançando para mais de setenta páginas da história e absorto na trama criada, Vinícius ouviu o celular apitar a chegada do e-mail tão esperado. Largou o texto e acessou sua caixa de entrada.

Olá, Vinícius. Eu conheço você, sim. Valentina me fala muito, ou, melhor dizendo, se queixa muito de você. Ficamos amigas no rápido período em que ela frequentou a escola de dança. Tenho dez anos a mais do que ela, mas isso não impediu que criássemos boa relação. Ela sempre quis me contar as coisas e eu me considero boa ouvinte. Fique tranquilo, não comentarei sobre nossa conversa. Quais são as suas dúvidas?

O perigo de a filha saber, aparentemente, já havia passado. Vinícius esfregou as mãos, satisfeito com a resposta, e escreveu:

Muito obrigado por entender a situação e a necessidade de sigilo. Imagino soar estranho a você receber uma mensagem de um pai perguntando sobre sua própria filha. Mas estive ausente por um longo tempo, preocupado apenas com minha carreira, e venho descobrindo que outras pessoas sabem mais sobre ela do que eu mesmo. O mais óbvio seria eu perguntar as coisas diretamente a ela, claro, ou perguntar para a mãe. Mas Valentina está fechada demais para mim e... bom, você já sabe que minha esposa faleceu há alguns dias. Mesmo que doa, eu preciso ouvir as verdades. Qualquer ajuda para me fazer entender qual é a relação dela comigo (como pai, como escritor, como qualquer coisa) já será de grande valor. Antes de tudo, quero saber é se a Valentina sempre me chama de Vinícius. Sabe, para um pai é muito dolorido isso. Digo, eu entendo que ela esteja abalada com a morte da mãe (todos estamos!), mas eu preciso fazer a família voltar a ser uma família com "F" maiúsculo, mesmo eu tendo estragado tudo. Não vou conseguir isso com minha filha não me chamando de "pai". Obrigado, novamente.

Fechou o e-mail e voltou a mergulhar no livro da filha. Aos dezesseis, ela já se fazia escritora quase completa, natural, de palavras que saíam das entranhas de uma adolescente apaixonada pelas coisas do mundo, por algum garoto da escola, pelos sonhos imaginados para o futuro. Angústia e dor impressas nas frases e questões colocadas na boca de Lara, a menina-personagem que bem poderia ser substituída pela própria Valentina narrando a mãe definhar. A ausência de uma personagem-pai dispensaria explicações ou análises mais aprofundadas.

Seguiu quase até o fim e guardou para terminar à noite, impressionado com o que lia. Fechou o *notebook* e as comparações vieram. Os dois na mesma idade. Valentina, paixão; Vinícius, frieza. Aos dezesseis, o "grande" Vinícius Becker começava a se viciar, a se drogar com a obsessão pela técnica perfeita de escrita. A droga oferecida pela professora de literatura havia entrado em sua vida naquela fatídica semana de exílio...

⏮ ⏭

– Vinícius, seu moleque! Como você me faz passar uma vergonha daquela? Nunca um membro da família Becker foi suspenso da escola.

– Desculpa, meu pai. Eu não sabia que podia dar problema.

– Vai ficar uma semana sem sair de casa.

– Mas, pai...

– Literatura é coisa de gente drogada, desocupada e inútil. Você quer ser pobre, é isso? Eu já falei que o importante na vida é estudar, só estudar. Matemática, biologia, física, algo capaz de transformá-lo em engenheiro, em um médico de respeito. Algo que vá pagar suas contas.

– Eu gosto de ler romances. Isso não quer dizer que eu queira ser escritor e...

– Você acha que eu nunca li os textos que você escreve e deixa escondidos no fundo do armário? Pois a suspensão de uma semana na escola foi pouco pelo que você fez àquela menina! Agora vê se aprende de uma vez por todas que esse negócio de literatura é pra quem não tem nada na cabeça.

– Você tá certo. Nunca mais eu mexo com literatura.

A negativa de Vinícius foi apenas da boca para fora. As palavras de opressão aos desejos mais íntimos rasgaram a pele e entranharam com raiva nas veias do menino. Pois, se o pai duvidou da capacidade do filho, foi a partir dali que o garoto começou a se transformar na máquina de contar histórias. Uma máquina dinâmica, com engrenagens engraxadas por técnicas e mais técnicas e mais técnicas. Pouco importava a verdade do sentimento, não era essa a questão. Palavras, frases, parágrafos, capítulos, partes, livros.

Projetos.

O livro presenteado pela professora virou a bíblia escondida sob a cama, aberta todos os dias segundos após os pais saírem para o trabalho e fechada segundos antes de voltarem. Leu, grifou, circulou, releu, estudou, abriu e fechou milhares de vezes o seu novo e definitivo amuleto da sorte. O livro que puxou outro, e mais outro, e mais tantos quantos ele conseguiu adquirir com o baixo valor da mesada. Estrutura, estilo, princípios do *design* de uma história. Personagens, métodos, cenas, sequelas, conflitos. Crise, *clímax*, resolução. Como escrever para trás, como plantar uma cena. A jornada do herói, os arquétipos. Os pontos de tensão e de virada. Técnicas de diálogo, de abertura, de fechamento de capítulos. O *cliffhanger*, a manobra conhecida como "à beira do abismo" e que ele viria com o tempo a dominar com maestria, para deixar os leitores sem fôlego e em suspense ao final de uma cena importante.

Não muito tempo depois, o computador entraria na vida de Vinícius e ele passaria a escrever ainda de forma mais frenética, salvando os textos em disquetes e deletando da máquina principal. A professora Elvira viraria sua confidente e mestre. Aconselhava o garoto e o estimulava a produzir: *Procure o seu estilo. Entre nele e vá até o fim. Seja o melhor naquilo que escolher.*

Certo dia, Vinícius entrou na sala dos professores. Elvira tomava café e lia o jornal. Ele jogou um envelope sobre a mesa dela.

– Taí.

– O que é isso? – Ela tirou os óculos, apontou para o envelope e para ele.

– Meu primeiro romance.

A professora perguntou:

– Romântico?

Ele balançou a cabeça, afirmando.

– Eu sabia... – Ela sorriu e deu um gole no café.

O primeiro romance. Para desgosto do pai, o sonho em que Vinícius aplicou todo o dinheiro levantado como vendedor de uma loja de roupas no *shopping* e que o levaria a optar, anos depois, contra todas as previsões paternas, pela faculdade de Letras. O livro que ele pagou para produzir e ninguém leu. O *début* do jovem que se tornaria, quatro livros depois, o escritor mais comentado do País. O primeiro de dez títulos de romance-romântico que atravessariam as fronteiras e seriam traduzidos para doze línguas.

Agora, com a carreira dos sonhos de todo escritor, ele tinha nas mãos a possibilidade de comparar seu primeiro livro com o primeiro livro da filha. O resultado da comparação o deixava sem fôlego.

E feliz, muito feliz...

18

Desde o momento da notícia da morte da esposa, uma ideia não saía da cabeça de Vinícius. Ele precisava agir. Procurou o número e discou:

– Doutor Fernando? Vinícius Becker.

– Olá, Vinícius. Sinto muito pela perda. Nós fizemos de tudo.

– Eu sei, doutor. Queria agradecer ao senhor pelo cuidado e dedicação com a Viviana nestes mais de quatro anos.

– A situação era irreversível, e posso dizer que conseguimos uma boa sobrevida, considerando o estágio em que descobrimos a leucemia.

– Vocês são os melhores, não tenho dúvidas. Mas eu queria saber mais uma vez se há a possibilidade de as meninas desenvolverem a doença.

– Sempre existe, considerando a violência do caso da Viviana. Mas não é prudente você voltar a ficar obcecado com isso, como lá no início. Siga a vida e tudo vai ficar bem.

– Ok, tudo tranquilo. Não vou me preocupar. Obrigado por tudo, novamente.

Assim que desligaram, ele procurou freneticamente pelo telefone do laboratório...

⏮ ⏭

"O que você vai fazer para reverter?", "O que você vai fazer para reverter?", "O que você vai fazer para reverter?". A pergunta de Salvatore mais uma vez retornava, como se a mente de Vinícius fosse uma parede do concreto mais bem preparado, e a frase uma daquelas enormes bolas de ferro de demolição lançadas por um trator.

Então, após mais uma série de pesquisas na internet, finalmente Vinícius fechou o plano. Pegou todas as anotações que havia feito e bolou a cartada complexa que agora exigiria toda espécie de paciência, sorte e fé que jamais tivera. Apostaria nesse plano todas as fichas de pai, acumuladas durante o tempo em que a literatura ainda não o havia cegado para as outras coisas da vida. Sua habilidade de escritor seria usada, agora, para contar uma "história ao vivo". O roteiro? Escrito a seis mãos. As personagens? Valentina, Vida e Vinícius Becker. Os cenários? Três cidades. O final? Não sabia, mas faria de tudo para ser feliz...

Como primeiro passo, telefonou para as escolas das filhas e conversou longamente com cada uma das diretoras. O caso mais complicado seria o de Valentina, mas ele explicou a situação, pediu compreensão, foi atendido. Como agradecimento, revelou algo que a nova diretora jamais havia percebido e ofereceu um presente à escola.

– Logo que eu voltar, pode ser?

– Será uma enorme honra para nós – a diretora respondeu com a voz trêmula.

Decisão tomada, Vinícius revelaria seus planos para as meninas na mesa do jantar. E, prontamente, enviou um e-mail para um destinatário inglês. Uma mensagem fundamental para a concretização desse plano:

> *Saudade de você! Tenho acompanhado sua caminhada muito de perto e é muito bom saber que tem chegado cada vez mais longe. Preciso te pedir uma coisa, não sei se você poderá, se terá tempo. É o seguinte. Eu tenho duas filhas, a Valentina e a Vida. A mais velha, Valentina, ela tem...*

Terminou de escrever a longa mensagem em inglês, com um pedido que pareceria inacreditável a uma pessoa comum.

⏮ ⏭

Quando as duas chegaram da escola, dona Lourdes serviu pizza e refrigerante a pedido de Vinícius. Vida, como sempre, avançou sobre todas as azeitonas verdes da portuguesa e deixou as fatias com o visual esbranquiçado. Valentina não dizia nada. Vinícius anunciou:

– Meninas, eu queria dizer que marquei exame de sangue amanhã cedo para vocês. Rotina, só isso.

– Ah, não. Vai voltar tudo aquilo? – Valentina largou os talheres sobre o prato.

– Sangue, papai? – Vida fez uma cara preocupada. – Eu tenho medo de sangue.

– Não é nada demais, meu amor. O moço do laboratório vem amanhã bem cedinho e é só uma picadinha boba no braço. Para o papai ver como vocês duas estão saudáveis e fortes. Precisamos comer agora e daí só quando ele for embora, tá bom?

– Eu não quero voltar àquela paranoia de ficar me furando – Valentina passou a mão nos cabelos.

– O moço vai me furar, papai? – Vida arregalou os olhos.

– É pelo bem de vocês. E não dói nada, fadinha. Você vai ver. A Valentina já sentiu muitas vezes e ela nunca chorou. – Ele passou a mão nos cachos loiros da pequena. – Parece uma formiguinha dando um beijo no seu braço.

– Eu vou morrer que nem a mamãe?

– Claro que não, fadinha, eu... – Vinícius guardou as palavras, virou de costas e fingiu procurar um talher na gaveta, para segurar as lágrimas. – Claro que não. Nunca!

– Então tá bom. – Vida deu de ombros e colocou outro pedaço de pizza na boca.

Ele bateu o garfo no copo e mudou o assunto, tentando sorrir:

– Ah, eu tenho uma notícia bem bacana. Adivinhem. O papai programou uma viagem pra nós três. Partimos no sábado. Uhuuu!

– Oba, vamos pra Disney! – Vida gritou e levantou os braços.

– Nem sonhando – Valentina retrucou.

– Infelizmente pra você, Vida, e felizmente para você, Valentina, não é pra Disney.

Vida começou a chorar.

– Não é justo! – As lágrimas caíam até a boca e se misturavam às azeitonas amassadas. – A Valentina já foi três vezes e eu nenhuma.

– A gente vai um dia, fadinha, pode deixar. – Ele passou a mão nos cabelos da pequena.

Valentina reforçou a opinião:

– Não quero viajar. Eu tenho aula. A Vida pode faltar, eu não.

Vinícius respirou fundo e baixou o tom de voz, forçando um sorriso.

– Eu entendo sua falta de vontade, filha. Mas me deixa tentar. Quero fazer isso por todos nós. Por favor. Já falei com a sua diretora e ela entendeu o momento. Você recupera na volta.

– Pra onde?

– Não posso dizer agora. Vocês têm que confiar em mim.

Valentina arregalou os olhos. Ele continuou:

– Promete que pensa com carinho? Se não quiser ir, eu entendo e a gente não viaja. Mas você vai ter que me dar um motivo muito bom, diferente de "Nós não somos uma família e não podemos viajar juntos".

– Papai, se ela não quiser, a gente pode ir pra Disney? – Vida perguntou, entre soluços.

– Tá bom, Vida. A gente pensa nisso, tá?

A pequena voltou a sorrir.

E o jantar terminou em silêncio.

19

Dona Lourdes foi colocar Vida para dormir, Valentina se trancou no quarto. Vinícius pegou o *notebook* e subiu. Deitou na cama, acendeu o abajur e abriu o computador para consultar os e-mails e terminar de ler o livro da filha.

Centenas de mensagens de leitores, pedidos de entrevista, comentários de fãs e novas resenhas publicadas. Ele nem olhou direito, apenas correu os olhos pelas mais recentes para ver se havia recebido resposta para a mensagem enviada em inglês. Nada. Apenas dois e-mails chamaram sua atenção. O primeiro vinha de Salvatore:

Cara, atende o celular! Tá morto? Tô ligando desde ontem e nada. Olha só, consegui cancelar os compromissos. Muita gente reclamou barbaridade, mas eu disse que você está estressado. Vai ficar me devendo essa! Não se esqueça de olhar aquela papelada. Preciso saber sua opinião, não temos muito tempo para dar a resposta. Dá um retorno pro seu amigo Sal, vai.

Vinícius respondeu:

Se tudo der certo, viajo depois de amanhã. Vou ficar bem, Sal. Preciso de um tempo, sério. Não vou levar celular. Tire umas férias também, vá gastar um pouco do dinheiro que você ganha comigo. Dê a resposta que você achar melhor. Não sei quanto tempo vou ficar fora.

Abriu, em seguida, a mensagem da amiga de Valentina:

Olá, Vinícius. Infelizmente, a resposta à sua pergunta é: Sim, ela sempre se refere a você por Vinícius, nunca por "Pai". E não me pergunte o que você pode fazer para reverter, porque só você vai descobrir. Como você encara o fato de ter praticamente desaparecido da vida de sua mulher e de suas filhas justamente quando elas mais precisavam? Acho que essa é a grande pergunta que você deve se fazer.

Bárbara.

Agora ele já sabia o nome de sua interlocutora:

Bárbara, eu encaro hoje com muita dor o fato de praticamente ter desaparecido da vida das três durante a fase em que só me preocupei com minha carreira. É duro só ter percebido agora. Eu amo minhas duas filhas mais do que tudo neste mundo. Fui o homem mais egoísta da face da Terra, mas nada vai me impedir de reverter a situação. Não saberia viver sem as duas. Por mais forte que eu possa parecer em meus livros, estou completamente sem chão.

Posso fazer outra pergunta? Estou pensando em dar alguma coisa para a Valentina, algo capaz de nos aproximar. Alguma ideia? (Veja que péssimo pai sou eu, não conheço minha própria filha...).

Vinícius recostou-se na parede atrás da cama de solteiro e selecionou o arquivo do livro de Valentina para ler as últimas páginas. As personagens voaram outra vez para sua mente, e a resolução da história seguiu um caminho inesperado, subvertendo a lógica e carimbando um sentimento de vazio após a última página. A filha era uma pedra preciosa bruta, paixão represada pelo orgulho. Uma menina que tinha o amor correndo nas veias. Com certeza, não havia sido dele que ela puxara aquele jeito.

Acho que preciso muito mais aprender do que ensinar alguma coisa pra você, meu amor, ele pensou.

Então o e-mail anunciou a chegada de nova mensagem de Bárbara.

Carinho, só carinho. Ela não precisa de mais nada na vida...

Após alguns instantes com a mão sobre o teclado, ele fechou o computador e dormiu sem responder. Como poucas vezes na vida, faltaram-lhe as palavras para escrever.

20

Assim que o rapaz do laboratório chegou, pouco depois das sete horas, Vinícius acordou as meninas. Valentina aceitou a coleta de sangue num silencioso protesto. Vida chorou durante cinco minutos por conta da picada da formiguinha.

O café da manhã foi temperado pela ansiedade de Vinícius para saber sobre a viagem. Não queria forçar a situação e decidira aguardar a decisão de Valentina. Entre um e outro gole de café, ele perguntou:

– Então...?

A menina suspirou, baixou os ombros, olhou para o chão e disse:

– Tudo bem.

Vinícius esboçou um sorriso, segurou a mão dela.

– Obrigado, filha.

m t g s h

21

Sábado. O voo partiria do aeroporto de Guarulhos às seis e meia da tarde.

Vinícius levantou cedo e, finalmente, fez a barba durante o banho. O rosto, outrora escondido, agora parecia iluminar as pessoas ao redor. Ele passou o dia coordenando as coisas com dona Lourdes: uma mala para cada um dos três. Às três horas, pouco antes de saírem de casa, fez um anúncio com voz grossa e semblante de capitão de caravela do século dezesseis:

– Maruuuujas, daqui a meia hora parte a caravela rumo ao desconhecidoooo!

– Uhuuu! – Vida gritou.

– Mas o capitão exige uma coisa...

Valentina só olhava.

– Nada de celulaaaar, nada de tableeet, nada de notebooook, nada de Ipoooooodeeeeee! – a voz saía grave, ele apontava para o infinito.

– Ah, mas nem sonhando. Eu não viajo assim de jeito nenhum. – Valentina cruzou os braços.

Vinícius voltou ao tom normal de voz e pediu:

– Não é uma ordem, é um pedido: vamos fazer à moda antiga e conversar com as pessoas ao nosso redor?

– Já tô arrependida.

– Por favor! Acredite que será muito mais interessante. Topa o desafio?

Valentina concordou, resignada. E Vinícius ordenou:

– Bom, então terminem de se arrumar enquanto vou fechar minha mala. Preparem-se!

Ele precisava fazer uma coisa antes de saírem. Subiu até o quarto, trancou a porta, abriu o *notebook* e mandou uma mensagem rápida para Bárbara:

A Valentina topou viajar comigo e com a irmã dela. É a minha chance de tentar reconquistar o amor que deixei escapar. Todo mundo merece perdão, e eu pretendo pedir de todo o meu coração. Caso eu precise tirar dúvidas sobre ela durante a viagem, posso? Se quiser me dar alguma dica, fique à vontade, Ok? Estou aberto. Estarei conectado. Obrigado por me ler.

No mesmo instante chegou a resposta:

Desejo que você a reconquiste. Não será fácil, mas, pelo que sei, ela quer muito poder mostrar o quanto te ama. Estarei conectada também. Boa viagem.

Vinícius procurou o *tablet* e o colocou no fundo da mala, misturado às roupas. Não poderia deixar as filhas descobrirem que ele transgredia a única regra criada para a viagem. Enquanto fechava o zíper da mala, decidiu passar por cima de sua maior superstição e transgredir mais uma regra. Algo capaz de aproximá-lo de Valentina. Subiu até o escritório e retirou, do altar da estante, o livro mais precioso de sua enorme coleção, a chama inicial do incêndio que se tornara sua literatura. O livro de capa marrom, descascado, velho e cheio de ideias, enfim deixava o escritório para participar de um evento diferente do lançamento de um novo título.

De repente, lembrou-se do pedido de Salvatore. Segurou o envelope pardo esquecido sobre a mesa, tirou a etiqueta e abriu a aba. Parou, seus olhos indo de um lado para outro. Mãos trêmulas, atiçadas pela curiosidade, ele titubeou. Então disse para si mesmo:

– Não há urgência maior do que a minha família.

Voltou a grudar a etiqueta, abriu a gaveta da mesa e atirou dentro "a informação capaz de mudar sua carreira". Apagou as luzes e saiu.

22

Arnaldo deixou os três no aeroporto.

– Obrigado, meu amigo. Cuida da casa durante nossa viagem. Aproveita que a dona Lourdes vai estar lá e... – Vinícius deu um sorriso e ficou levantando e abaixando as sobrancelhas.

Arnaldo era um velhinho de poucas palavras:

– Obrigado, senhor. – Deu um sorriso discreto.

Os três entraram no saguão e foram para o balcão da Alitalia. Valentina e Vida enfim souberam do primeiro destino, no instante em que Vinícius entregou os passaportes e a atendente disse:

– Florença, saída às dezoito e trinta.

Vida gritou:

– Papai, eu achei que era na Disney! Ah, o que tem pra fazer nesse lugar?

– Nem eu sei direito, só sei que é para lá que temos que ir...

PARTE II

23

O voo durou quinze horas, com uma rápida conexão em Roma. Vida ficou grudada em uma sequência de filmes do *Shrek, Toy Story* e *Madagascar*. Três filmes a que ela já tinha assistido centenas de vezes mas, ainda assim, dava gargalhadas das mesmas partes de sempre. Valentina mergulhou na terceira temporada inteira do *The Big Bang Theory*. O fone no ouvido durante toda a viagem parecia a senha para Vinícius não inventar de se aproximar com qualquer conversa ao estilo "de pai para filha". Ele selecionou a aba de filmes de aventura e, de fato, não tentou engatar assuntos com Valentina. Preferiu guardar as energias para a longa viagem que programara. Oportunidades não faltariam, era a aposta certeira.

Às duas da tarde na hora local, o avião pousou no aeroporto Amerigo Vespucci, em Florença. Esperaram as malas na esteira e foram em direção à saída dos táxis. Vinícius, de mão dada com Vida, andou alguns metros até notar que Valentina havia ficado para trás, estática no meio do saguão.

– O que foi, filha? – Vinícius voltou e perguntou.

– Tudo bem, isto aqui parece um jogo. Não sei o que estamos fazendo aqui e nem o motivo de você ter escolhido virmos para cá. Só quero saber quanto tempo vai durar esta falsidade.

– O tempo que vocês duas quiserem. Voltamos no dia em que mandarem. E não acho falsidade um pai querer viajar com as suas filhas.

– Depende. Um que há anos não viaja com a família? Pode soar como falsidade, sim, quando isso acontece poucos dias depois de a esposa morrer.

– Por que você não me deixa tentar provar que posso ser um bom pai?

– Porque isso não se aprende assim, forçando a barra.

– Eu não estou tentando comprar o amor de vocês.

– Pois saiba, já de cara, que não é com uma viagem para um país velho que isso vai acontecer.

– Então me diga você como eu posso fazer isto.

– Eu não sei. – Valentina baixou a cabeça e a voz. – Eu não sei.

Vinícius tentou voltar e abraçar a filha, mas ela o repeliu. Ele fechou os olhos e respirou fundo. Soltou as malas no chão e gritou:

– Você quer que eu compre as passagens de volta para o Brasil, que a gente entre em casa e não se fale mais? Que eu espere você fazer dezoito anos para simplesmente ouvi-la me dar um tchau e nunca mais olhar pra minha cara? É por aí? Se for, me diga agora porque vai acontecer exatamente assim.

– Eu não sei, não sei... – Ela continuava a responder a mesma frase e a andar em círculos.

– Eu já errei demais, e você não vai me dar chance de consertar? Todas as pessoas do mundo merecem uma chance. Até as piores, como eu.

Valentina colocou a mão no rosto e começou a chorar. Vida agarrou-se à perna de Vinícius. Algumas pessoas pararam para olhar o espetáculo proporcionado pela Família V. Quando ele pegou Vida no colo, sem saber exatamente o que fazer ou para onde ir, uma mulher linda parou ao seu lado. Cabelos longos e negros, olhos verdes, alta, sobretudo preto, salto agulha, óculos *Ray Ban* na testa, batom vermelho. Segurava um livro.

– *Mi scusi... Vinícius Becker*? – ela perguntou.

– *Sì* – ele respondeu no pouco do italiano que conhecia.

Ela esticou um livro e uma caneta, sorriu e pediu:

– *Un autografo*?

Ele colocou Vida no chão e autografou a cópia de *Quando as folhas não caírem mais*, ali chamado apenas de *Autunno. Best-seller* também na Itália.

– *Una fotografia*? – A mulher mostrou o Iphone para ele.

– *Certo*!

Ele pegou o celular e apontou para Valentina. Baixou a voz e falou, com ternura:

– Você tira?

Valentina enxugou as lágrimas, pegou o aparelho e sacou as fotos. A bela mulher, então, tirou um cartão da bolsa e, ao se despedir, colocou na mão dele. Virou e saiu puxando a mala.

Vinícius olhou para as filhas, apertou os lábios, levantou as sobrancelhas e picou o cartão em vários pedaços. Foi até a lixeira, jogou-o e voltou. Valentina ameaçou um sorriso e voltou a fechar o rosto. Ele aproveitou e disse em voz baixa:

– Eu peço alguns dias. Se, ainda assim, vocês quiserem voltar para o Brasil, a gente volta. Combinado?

Valentina acenou afirmativamente.

– Papai, você é famoso? – Vida perguntou.

– Não, fadinha. Não sou não. Mas, se vocês duas virarem minhas fãs, eu vou ser o homem mais famoso e feliz do mundo.

a t g s h z

24

O interior do pequeno e aconchegante hotel, à margem do rio Arno, cheirava a jasmim. Móveis antigos com aparência de recém-restaurados, paredes e chão de pedra que pareciam adormecer pelos mais de 2.000 anos em que a capital da Toscana veio se erguendo imponente sobre uma história recheada de arte. No teto, réplicas de afrescos de algumas das igrejas da cidade. Não fosse pelo totem de aço escovado envolvendo a tela de LED com dados sobre os pontos turísticos da cidade, seria possível afirmar que estavam no meio do século 16.

No balcão, Vinícius perguntou, levantando a sobrancelha em direção a Valentina:

– Um quarto triplo?

– Um duplo e um simples – ela rebateu.

– Tudo bem – Vinícius concordou. – Fadinha, você fica comigo.

Decidiram descansar da viagem até o fim da tarde. Valentina foi para o seu quarto, Vida deitou na cama de casal com Vinícius e em poucos minutos já estava apagada. Ele, então, tirou o *tablet* do fundo da mala. Conectou a internet na rede *wi-fi* do hotel, acessou sua caixa de e-mails. Conferiu rapidamente que seu destinatário inglês não havia respondido ainda. Abriu uma nova mensagem e digitou:

Olá, Bárbara. Pode parecer estranho eu mandar mensagem mal tendo aterrissado, mas realmente estou me achando sem confiança para agir com a

Valentina. Percebo que esta viagem será dura para ela e para mim. Precisarei encontrar uma brecha para entrar nos assuntos que a incomodam e fazem parte do conflito que ela vem travando silenciosamente comigo há muito tempo. Sabe, a cada instante eu percebo o quanto vacilei e como ela está mesmo distante. É imensurável como tem sido difícil superar a barreira. A impressão é a de ela ter construído uma parede de um quilômetro de altura, que me exigirá um esforço descomunal para escalar e pular para o outro lado. Quem sabe uma hora eu consigo. Pelo menos vou tentar.

Não sei até que ponto você a conhece, e nem sei se você tem esta informação, mas estou pensando em levá-la para jantar hoje. Se você pegar a mensagem a tempo e puder me sugerir uma comida que ela adore de verdade, será bem bacana.

Obrigado pela ajuda, pela confiança e por me ler.

Em não mais do que alguns minutos a resposta chegou, para surpresa e alegria de Vinícius.

Bom saber que chegaram bem! Fico feliz pela Valentina, por saber aqui do seu empenho em reconquistá-la. Ela ama você, é evidente, mas só vai se permitir externar esse amor quando sentir que você merece. Quanto à sugestão de comida, conheço pouco deste tema em relação a ela. Mas poderia ser algo leve. Uma massa ou um frango sempre vão bem. Boa sorte. Bárbara

Vinícius esfregou as mãos e respondeu:

Nossa, muito obrigado! De verdade! Você não faz ideia do valor de sua ajuda. Um abraço, Vinícius.

Prontamente ele entrou na internet e pesquisou os restaurantes. Escolheu o melhor, anotou o telefone, ligou do quarto e fez uma reserva para três.

25

O táxi os deixou em frente à Trattoria Sostanza, pouco antes das sete e meia da noite. Uma portinhola no meio da Via del Porcellana.

– Papai, por que a gente não pode comer no McDonald's? Eu vi na TV que o brinquedinho é da Hello Kitty. – Vida fez bico.

– Ô, meu amor! Nós estamos num lugar onde vamos comer coisas muito mais gostosas do que aquelas do McDonald's. E a comida do McDonald's, se a mamãe não te contou, também dá furo na bunda.

Valentina riu do comentário e, no instante seguinte, segurou a risada. Vinícius notou, mas preferiu não dizer nada. O sorriso aberto do garçom já adiantava que o clima do jantar, ao menos por parte da casa, seria agradável. Paredes brancas, nenhum luxo. A cozinha aberta possibilitava observar o trabalho dos *chefs*. A mesa compartilhada de oito lugares obrigaria a um mínimo de interação com quem sentasse por lá. Bancos altos, não muito confortáveis, certamente a escolha estratégica para os clientes não desejarem ficar ali para o resto da vida.

Os três sentaram e logo o garçom colocou um pão na frente de cada um. Vinícius pediu o vinho da casa, servido num copo. Salame italiano de entrada e suco de uva para as meninas.

– O que se come aqui? – Valentina perguntou.

– Frango, uma das suas comidas favoritas.

– Como você sabe que frango é uma das minhas comidas favoritas? – Valentina arqueou as sobrancelhas.

– Ei, eu sou seu pai, não lembra?

– Ah, tá...

– Papai, eu quero pizza de azeitona.

– Pelo visto aqui não servem pizza de azeitona, Vida. Mas prometo levar vocês a uma boa pizzaria italiana, tá bom?

Alguns minutos depois, os outros cinco lugares da mesa foram ocupados por uma família. O pai e a mãe, juntos, deviam pesar mais de duzentos quilos. Os trigêmeos, três bolinhas brancas e rosadas com a mesma roupa, aparentavam não ter mais de seis ou sete anos. A algazarra dos cinco contrastava com a falta de assunto da família V.

– De férias na cidade? – Vinícius sorriu e perguntou, em inglês, ao pai.

– Sim. Somos americanos. Primeira vez na Itália. Viemos para o festival de sorvete.

– Sorvete? – Valentina franziu a testa.

Os olhos de vida se arregalaram, ela começou a sorrir. Vinícius levantou o copo de vinho e disse:

– Um brinde aos *yankees*, que acabaram de estragar a primeira surpresa da viagem.

– Viemos do Brasil até aqui para um festival de sorvete? – Valentina manteve a boca aberta.

– Não é um excelente motivo para uma viagem?

– Eu adoro sorvete – a pequena gritou e ficou batendo a colher na mesa. – Uhuuuu!

– Pois as marujas preparem os estômagos, porque amanhã vão conhecer uma coisa que jamais imaginaram!

Valentina esboçou outro sorriso e, mais uma vez, conteve-se.

Quando o garçom trouxe os pedidos, foi como se os três tivessem sido alçados a outro mundo.

– O que é isso, meu Jesus? – Foi o comentário de Vinícius ao dar a garfada na omelete de alcachofras e quase cair para trás de tanta felicidade.

– Que frango delicioso! Sou obrigada a admitir – Valentina deixou escapar.

– Se ninguém disse ainda, eu afirmo agora: este é o melhor frango do mundo! – Vinícius levantou o garfo e a faca.

Saborearam o jantar inesquecível até, entre uma garfada e outra, ele puxar o assunto com Valentina:

– Então, filha, por que você nunca me contou que é escritora?

– Eu? Escritora? Quem disse?

– O livro que escreveu com a mamãe...

– Escrever um texto não significa que eu tenha virado escritora. Foi só aquele. – Ela negou com a cabeça. – Escrevi a mão. Nunca escrevi nada além e não tenho o mínimo interesse em seguir a carreira de escritora.

Vinícius preferiu não pegá-la na mentira e omitiu que já havia lido o outro livro dela.

– Não estou dizendo que você tenha que virar escritora por profissão. Mas, se você sentiu necessidade de registrar uma história com sua mãe, sobre coisas que martelavam sua cabeça, isso significa que você tem aquele detalhe ausente na imensa maioria das pessoas. Por que não escrever mais sobre outros sentimentos?

– E por que esse interesse repentino nas minhas coisas? Que importância tem agora o fato de eu escrever ou não, de eu gostar ou não de escrever, de os sentimentos que estão guardados comigo precisarem ser colocados pra fora?

– Você está com a ideia fixa de que nunca dei a mínima pra vocês.

– Tem muita coisa que você não sabe sobre mim. – Valentina deu um gole no suco. – Sobre mim, sobre a mamãe, sobre a vida e... – Apontou para a irmã. – Sobre esta Vida aqui.

– Eu sei muito mais do que você imagina. – Vinícius deu uma garfada no pedaço de frango deixado pela pequena no canto do prato.

– Duvido. Você não sabe a minha cor favorita, a banda, o escritor, a atriz, meu filme predileto, do que eu mais tenho medo, o que eu quero ser quando crescer.

– Azul, Beatles, Catherine Hess, Anne Hathaway, *Um Amor para Recordar*, sapo, escritora.

Valentina ficou sem ação.

– Eu tenho medo do Velho do Saco – Vida interrompeu a conversa dos dois.

– Quem é o Velho do Saco? – Vinícius franziu a testa.

– É aquele que pega as crianças que tão sozinhas na rua e longe dos pais.

– Ah, sei...

– Papai, vamos pedir sobremesa? – Vida mudou de assunto na velocidade que era sua marca registrada.

– Vamos.

Finalizaram o jantar cada um em frente a um merengue de morango, preparados pelos deuses da culinária. Após o *espresso*, Vinícius sugeriu voltarem a pé para o hotel. Meio quarteirão depois, Vida pediu para o pai levá-la no colo. Ela deitou a cabeça no ombro dele assim que subiu e, em poucos segundos, os bracinhos caíram moles. O silêncio entre Vinícius e Valentina era abissal, e o som de seus passos pela calçada ecoava alto pelas paredes de pedra das ruas.

Então ele perguntou:

– Sabia que muitas pessoas dizem que a Toscana é uma região abençoada pelos céus, porque Deus mandou para cá os maiores gênios da humanidade?

Valentina continuou caminhando ao lado dele e olhando para a frente, sem dizer qualquer palavra.

– Aqui é o berço do Renascimento. Michelangelo, Da Vinci, Donatelo, Raphael, Maquiavel, Galileu. Como pode, né? Tanta gente boa ter passado por estas bandas...

– Aham – a primeira manifestação de Valentina desde que saíram do restaurante.

– Mas quem me encanta mesmo são os escritores. Dante, Boccaccio, Cavalcanti, Gianni.

– Sei...

– *Não há maior dor do que a de nos recordarmos dos dias felizes quando estamos na miséria* – Vinícius recitou e olhou para Valentina. – Dante Alighieri. Sabia tudo e um pouco mais sobre a alma humana.

Valentina murmurou, depois de um breve silêncio:

– Dias felizes que você jogou fora.

– Joguei fora, você tem razão. E que, na miséria da minha alma, vêm tentando me nocautear.

Valentina parou, encostou-se em um poste de luz e perguntou:

– Por que você jogou fora?

O tempo reservado por Vinícius para formular a resposta, olhando fixo nos olhos da filha, parecia fundamental para enchê-lo da coragem de descer do pedestal que sempre esteve sob seus pés e admitir a ela os erros que cometera.

– Me deixei engolir por coisas sem importância. Eu me achava incrível, invencível, insubstituível e todos os "íveis" que existem. Também acreditava que a solução de todo problema estaria ao alcance das minhas mãos a qualquer hora. E, mesmo percebendo o quanto você se afastava de mim a cada dia, apostei em que bastaria uma conversa fácil, um presente, uma viagem como esta aqui, uma piada ou um pouco de dinheiro para trazer você para perto. Porque todo mundo sempre me bajulou e eu achei que a visão de vocês três sobre mim era a mesma das pessoas que não me conhecem pessoalmente. Fui um imbecil, não vi a família perfeita que tinha dentro de casa.

– E que nunca mais vai voltar a ser perfeita, porque uma parte importante dela foi embora por causa de uma doença estúpida que tira do mundo as melhores pessoas, aquelas que fazem deste mesmo mundo um lugar um pouco menos miserável. – Os olhos de Valentina estavam úmidos. Ela tentou disfarçar, passou as costas da mão no rosto.

– O mundo nunca será tão miserável se houver nele pessoas com um pouco desta sua paixão, filha.

Voltaram a caminhar.

– Infelizmente você não me conhece o tanto quanto imagina. Você acertou as coisas de que eu gosto porque estão na parede do meu quarto. Mas minha cor favorita não é azul, é roxo... E não, eu não quero mesmo ser escritora quando crescer.

– Talvez porque você não precise crescer para virar uma escritora? Talvez porque já seja escritora e não queira me contar? Talvez porque tenha tanta paixão represada e não queira colocar para fora por obra do orgulho? Ou para não admitir que deseja seguir o mesmo caminho do pai que você odeia?

– Eu... Não quero ser como você.

– Você nunca vai ser como eu. Tem potencial para chegar muito mais longe do que eu cheguei.

Entraram na rua do hotel. Valentina suspirou:

– Você é um escritor de mentira. Seus milhões de leitores são enganados a cada novo livro.

A verdade bateu firme no peito de Vinícius, e ele argumentou:

– Eu não escrevo para os meus leitores acharem que eu sou os mocinhos ou os bandidos dos meus romances. Escrever é a minha profissão, ponto.

– Escrever é muito mais do que uma profissão. É uma atitude de amor, de entrega ao que se quer contar.

– E como é que alguém que não é escritor sabe disso?

Valentina foi surpreendida, mas não recuou:

– Ok, você venceu. Eu escrevo, sim. Mas jamais vou mostrar minhas coisas, porque você não vai entender.

– Por que não?

– Porque o que você escreve pode ser até bonito, mas você é incapaz de amar e entender o que uma pessoa como eu pensa e sente.

a m t g r s e h z

26

Vinícius entrou no quarto, atordoado com as verdades vomitadas por Valentina. Nenhum crítico jamais havia desnudado suas entranhas literárias da forma como sua própria filha de dezesseis anos fizera num trajeto de pouco menos de oitocentos metros e em tão poucas palavras. Nenhuma resenha, nenhuma citação, nem sequer um comentário em alguma postagem de suas *fan-pages* nas redes sociais. Nada havia sido tão duro quanto *você é incapaz de amar*. Se Valentina, sangue do seu sangue, achava aquilo, provavelmente ele não teria como negar. E, para se transformar como pai, escritor e ser humano, teria de fazer muito mais do que havia feito até ali. Teria de reaprender. Pegou a caneta e o bloquinho com o timbre do hotel sobre a mesa do quarto. Destacou uma folha e escreveu:

> *Ok, eu sou incapaz de amar... Então por que você não me ensina? Você ama do jeito mais puro que já vi uma pessoa amar. Ainda não teve o coração corrompido pela obrigação que o mundo nos impõe de sermos, aos olhos dos outros, aquilo que não somos em essência. Pode me mostrar o que talvez o tempo e a vontade de ser famoso tenham tirado de mim. Por favor! Eu a ensino a ser uma escritora melhor, a aplicar todas as técnicas literárias a serviço do amor preso no seu peito, filha. E você ao menos tenta me mostrar o que não sei a respeito do assunto.*

Dobrou a folha e a colocou dentro de um envelope também com o timbre do hotel. Foi até o quarto dela e o passou por debaixo da porta. Voltou e deitou.

Vida abriu os olhos, cutucou o braço do pai e disse:

– Papai, eu tô com medo.

– Do quê, meu amor?

– Do Velho do Saco.

– Filha, o Velho do Saco não existe. E, se existisse, ele nunca chegaria perto de você porque eu não deixaria.

– E bruxa?

– Nem bruxa, nem fantasma, nem monstro. A única pessoa que a gente não pode ver, mas que existe, é o papai do céu.

– Eu tô com saudade da mamãe.

– Eu também, fadinha. Eu também... Sonha com os anjos.

Então ela o abraçou e fechou os olhos.

Em poucos segundos ele também estava sonhando.

27

O dia seguinte era o primeiro do Firenze Gelato Festival. O maior festival do planeta, na cidade considerada a capital mundial do sorvete. *Chefs* de todos os cantos do mundo, os mais renomados e famosos, distribuíam-se nas praças Santa Maria Novella, Della Repubblica e Strozzi para apresentar suas mais recentes criações ou os clássicos que os consagraram.

Vinícius e as filhas levantaram cedo. Vida não queria nem tomar café da manhã, então ele precisou blefar que se ela não se alimentasse eles não iriam. Saíram a pé até a Piazza Santa Maria Novella. Lá, Vinícius comprou três *Gelato Cards*, batizados por ele de "passaportes da alegria". Cada cartão com direito a tomar cinco sorvetes e possibilidade infinita de recarga.

Vida não acreditava no que via e provava. Queria tomar todos os sabores, desde o mais básico, de chocolate, até os de cachaça e licor, que, sem discussão, Vinícius proibiu.

– Obrigada, papai. Obrigada! Eu adoro sorvete! – Ela grudava nas pernas dele a cada novo copinho com os sabores pedidos nas inúmeras tendas armadas.

– Você quer de qual sabor agora?

– Eu quero... Metade chocolate, metade morango, metade creme e metade baunilha.

– Quantas metades tem o seu sorvete?

– Quatro, papai.

– Que doido isso! – Vinícius virou para Valentina e piscou, em meio a um sorriso.

Valentina sorriu de volta.

Após experimentarem quase todas as opções possíveis, deitaram na grama da praça, levantaram as blusas e lá ficaram, inertes, com as barrigas de fora, admirando a multidão passar. O semblante de Vida era de dar pena, tão empanturrada estava. Vinícius sorria.

Mirando o céu azul, Valentina quebrou o silêncio entre os três:

– O que você me pediu na carta é impossível. Não se ensina a amar. Não há aulas para isso. Não há fórmula mágica, como se eu escrevesse num quadro e você copiasse para depois estudar e responder uma prova que eu aplicasse.

Vinícius pensou um pouco e respondeu:

– Então me ajuda pelo menos a resgatar os bons sentimentos escondidos em algum canto dentro de mim e que um dia já guiaram os meus passos...

Ela olhou para ele, mordeu o lábio e confirmou com a cabeça, de forma quase imperceptível. Vinícius agradeceu com o olhar e eles continuaram em silêncio. Até que, já sabendo o que encontraria, ele levantou as costas em câmera lenta, arregalou os olhos e começou a dizer:

– Meu Deus do céu! O que é aquilo?

– O quê, papai? O quê? – Vida perguntou.

Valentina levantou as costas também.

– Olhem lá à direita. – Ele apontou.

As duas olharam e perguntaram juntas:

– O quê?

– O nome daquela sorveteria... Eu preciso ir lá, agora! Incrível!

– Qual é o nome, papai? – Vida chegou ao lado dele.

Então Valentina começou a sorrir, do jeito que não tinha ainda feito desde a morte da mãe, e disse:

– É "Gelateria De' Coltelli".

– Ah, mas eu vou lá e é agora. – Vinícius levantou e saiu correndo, dando risada.

As duas correram atrás, ele voltou um pouco e colocou Vida sobre os ombros. Chegaram ao balcão da sorveteria que levava o sobrenome de Viviana e das duas filhas. Sorveteria que o próprio Vinícius e a esposa haviam cansado de frequentar nas vezes em que estiveram na Itália.

– Quem quer?

– Eeeeeeuuuuuuu! – Vida soltou um grito agudo.

Valentina olhava fascinada para seu sobrenome impresso nos guardanapos, copos, cardápios, fachada.

Vinícius perguntou no balcão qual era o sabor.

– *Cioccolato salato con scorze di arancia candita* – o *chef* respondeu, na eloquência tradicional italiana.

– O que significa? – Valentina perguntou.

– Não faço a menor ideia – Vinícius respondeu. – Mas vamos pedir um pra cada um e tentar descobrir qual é o sabor da mamãe? Isto é um sinal, ela está com a gente hoje aqui.

– Pede um pra ela, então, papai – Vida sugeriu.

– *Perfetto*! – ele gritou.

Cada um tomou o seu e, ao final, tomaram juntos o potinho de Viviana.

28

Depois de tanto sorvete, o dia seguinte não poderia ter começado mesmo muito cedo. Perderam o café da manhã no hotel e saíram direto para almoçar. Foram até a Piazza del Carmine e se empanturraram com a bisteca fiorentina de uma *trattoria* tradicional.

Ao final da sobremesa, Vinícius sugeriu:

– Depois desta extravagância, que tal um pouco de diversão?

– Cinema! – Vida gritou.

Valentina olhou de soslaio para Vinícius, negou com a cabeça em movimentos rápidos e mexeu a boca, sem som: "Cinema, não, por favor!".

– Vida, aqui em Florença a palavra "diversão" não combina com cinema – ele se apressou.

– Mas tem aquele filme das galinhas que...

– E se eu contar uma história tão boa quanto essa aí das galinhas?

– Mas, papai...

Vinícius pegou a filha no colo e passaram a caminhar em direção à *Galleria dell'Accademia*. Ele começou a contar a história:

– Era uma vez um menino. Ele cuidava de ovelhas e tocava sua harpa.

– O que é harpa?

– É tipo um quadradinho, tem umas cordas pra puxar e toca música de anjinho.

– Ah.

– Os irmãos dele tinham ido para a guerra, mas o menino não pôde ir porque era muito fracote. Então, ele ficava sozinho, sozinho, coitado, cheio de curiosidade para ver como era aquele negócio de guerra. Principalmente porque ele tinha ouvido dizer que lá tinha um gigante de quase três metros de altura e que vinha todos os dias à frente da batalha gritar: "Ninguém me derrubaaaa!" – Vinícius fez uma voz soturna: – Um gigante enoooorme, com capacete e uma roupa de sessenta quilos.

– O que é sessenta quilos?

– É uma coisa tão pesada que dá umas três de você, Vida. E só a lança do gigante pesava mais de sete quilos.

Vida já nem se lembrava das galinhas. Vinícius continuou:

– Pois um dia o menino foi ao acampamento de guerra levar comida para os irmãos e viu o gigante desafiando todo o exército. Como o menino confiava em Deus, ele pediu permissão ao rei para enfrentar o gigante. O rei deu risada, mas como ninguém se oferecia ele prometeu que, se o rapazinho ganhasse a briga, teria muita riqueza e a mão de sua filha em casamento. Sabe o que aconteceu?

– O quê, papai?

Vinícius concluiu:

– O menino tirou as armaduras dadas pelo rei, pegou só uma espada, umas pedras no rio e um estilingue. Quando o gigante chegou perto, o menino puxou o estilingue, puxou o estilingue, puxoooou o estilingue e...

– Fala, papai, fala!

– Mandou uma pedrada na cabeça do gigante e ele caiu durinho. Então, o menino correu até lá e cortou a cabeça do gigante. Ele voltou para o reino, casou com a filha do rei e foram feliiiiizes para sempre.

Os olhos de Vida estavam arregalados.

Os três chegaram em frente à *Galleria dell'Accademia*, entraram e Vinícius disse:

– E o melhor: aqui dentro está o menino que venceu o gigante. Alguém aqui sabe o nome dele?

– É Davi – Valentina respondeu.

– Muito bem! E olha ele bem ali. – Vinícius apontou.

A gigantesca escultura de Michelangelo, Davi no momento anterior à batalha com Golias, impressionava pela perfeição das formas.

– Papai, olha o pipi dele. Credo! – Vida apontou e começou a gargalhar.

Valentina e Vinícius se abriram de rir com o comentário da pequena.

⏮ ⏭

No fim da tarde, após muita explicação cultural, os três foram passear ao longo do rio Arno. O sol começava a tocar a linha do horizonte. Próximo à Ponte Vecchio, a velha ponte em arco medieval sobre o rio e cheia de joalherias, Valentina reparou no gradeamento com uma infinidade de cadeados presos, cada um com datas e nomes marcados.

– Nossa, lindo isso! – Ela começou a ler algumas inscrições.

– Estes aqui são os famosos *Lucchetti di amore*. Os cadeados do amor.

– E por que eles são colocados aqui?

– Os casais apaixonados prendem um cadeado com suas iniciais, trancam e jogam a chave no rio. Dessa forma, o amor entre eles nunca vai acabar.

– Como você sabe disso?

– Eu tenho um cadeado em algum lugar por aqui. A chave dorme no fundo do rio. – Ele se debruçou no parapeito e ficou olhando para a água que corria lenta.

Valentina franziu a testa.

– E o que você escreveu nele?

– Foi a mamãe quem escreveu. "V & V".

Os olhos dela passaram a brilhar com o reflexo da angulação dos raios de sol na água do rio.

– Eu não sabia que vocês dois já tinham vindo aqui.

– Tem muita coisa que você não sabe sobre mim, sobre a sua mãe, sobre minha história com ela. – Vinícius devolveu a mesma frase de Valentina dita no dia anterior e piscou um olho.

– Papai, vamos jogar um cadeado no rio? Por favor, por favor! – Vida puxou a barra da calça de Vinícius.

– A gente só joga a chave, meu amor. Se vocês quiserem...

– Eu quero, eu quero, eu quero.

Em uma das inúmeras barraquinhas ao longo do rio, compraram um cadeado.

– Valentina, você escreve – ele pediu.

Ela segurou o cadeado e o pequeno prego oferecido pelo vendedor. Tentou disfarçar a emoção, olhou para as águas e escreveu um enorme "V".

Vinícius aguardou-a colocar a data. Teve certeza de que ela colocaria 07/05, dia da morte de Viviana. Então ela riscou o cadeado e o entregou. Ele sorriu ao ler a referência àquele exato dia em que os três olhavam o sol em Florença. Se não de corpo presente, a alma de Viviana retornava a um dos lugares em que outrora esteve com Vinícius, dois jovens apaixonados e sonhadores. Agora, o fruto do amor contido na chave que muitos anos antes ele e Viviana haviam jogado no rio voltava na forma de duas filhas e um pai tentando reconquistá-las.

Valentina trancou o cadeado na grade e Vida gritou:

– Eu jogo a chave, eu jogo a chave!

Vinícius pegou a menina no colo e a levou até a beira. Os frágeis bracinhos atiraram o metal não muito longe.

Assistiram ao fim do pôr do sol apoiados no parapeito de pedra da Ponte Santa Trinità e depois seguiram para uma pequena pizzaria na Via Maggio. Para alegria de Vida, Vinícius pediu ao garçom uma gentileza: pizza de queijo com todos os tipos de azeitona que a casa oferecia.

a m t g r s e h z

29

Ao entrar no quarto do hotel, Vinícius deu banho em Vida e a colocou para dormir. Em seguida, vestiu o pijama, deitou na cama, pegou o *tablet* e abriu sua caixa de e-mails. Procurou pela resposta à mensagem que havia mandado em inglês, mas ainda nenhum sinal. Pensou em reenviar, mas decidiu esperar mais alguns dias. Teria tempo. Aproveitou para enviar um e-mail a Bárbara.

Bons progressos! Hoje, finalmente, eu e Valentina tivemos um dia sem brigar. Feliz é a palavra que me define agora. Queria perguntar: você a ouvia falar muito sobre a Viviana? O que a Valentina dizia? Se eu conseguir obter um pouco do amor dela pela mãe, já será perfeito. A viagem segue e, mais uma vez, agradeço a você por me acompanhar.

Passou a pesquisar detalhes sobre o resto da viagem e, quando o sono começava a vencê-lo, chegou a mensagem em resposta:

Na última mensagem da Valentina antes de viajar, pude entender mais um pouco do significado da perda da Viviana para ela. Perder tamanha referência deve ser realmente duro. Você é, para ela, a referência de profissional, de quem luta por seus objetivos, focado nas escolhas da vida e sem descanso até conseguir. Isso não é pouco, mas não é tudo. Por outro lado, a mãe era o exemplo do amor incondicional, de uma pessoa que entendia as filhas apenas com o olhar. A Viviana compreendia todos os anseios, cada angústia, cada questão, cada sonho das duas. Só você vai poder afirmar que consegue amar a Valentina dessa forma, ninguém mais. Siga em frente e tenha certeza: sua filha vai amá-lo de todo o coração. Você está no caminho certo.

Pela primeira vez em muitos dias, Vinícius dormiu tranquilo.

a t g s h

30

Durante o café da manhã, ele anunciou:

– Nossa viagem florentina termina hoje. E, como combinado, eu preciso perguntar. – Olhou para as duas. – Vocês preferem voltar para o Brasil ou avançar para o segundo destino? A decisão é de vocês.

– Eu quero continuar, papai – Vida disse, mastigando o pão.

Vinícius olhou para Valentina.

– Eu também – ela murmurou, olhando para baixo.

– Obrigado, meninas. Então é hora de arrumar as coisas, porque o comboio sai antes do almoço.

– A gente vai pra Disney?

– Não, fadinha. Não é para a Disney. É surpresa.

31

Mais uma vez, o destino só foi sabido pelas filhas no balcão de embarque.

– *Firenze-Malaga* – disse a atendente, bilhetes na mão e sorriso aberto.

– Onde fica, papai?

– É na Espanha, Vida. Um lugar lindo e cheio de sol.

Os três desembarcaram no aeroporto Pablo Picasso, em Málaga, já com a noite avançada sobre o fim da tarde. Vinícius saiu carregando as malas e Vida dormia no colo de Valentina. No hotel próximo à *Plaza de Toros de La Malagueta*, Vinícius preferiu nem questionar a configuração dos quartos e pediu ao *concierge*:

– Um quarto duplo e um simples, por favor.

Instalaram-se no elegante hotel. Vinícius selecionou um programa infantil qualquer e Vida passou a prestar atenção. Ele pegou papel e caneta e começou a rabiscar frases soltas. A cada novo dia, a redescoberta da saudade pela esposa arrebentava ainda mais suas entranhas, e a única forma conhecida por ele para extravasar a dor era a escrita. Desde a morte de Viviana, não tinha conseguido escrever nada, nem sequer tentado com a disciplina rígida que sempre fora sua marca registrada. O bloqueio jamais fizera parte de sua vida de escritor, e agora ele ria, sentado nos ombros da vergonha, da certeza do erro, da incapacidade de expressar com precisão os ácidos sentimentos capazes de dissolver suas mais arraigadas convicções. Vinícius sempre escrevera por demanda, no prazo que nunca era seu, mas das editoras. A pressão por entregar os originais sempre fora o motor a empurrar a caneta sobre o papel ou os dedos sobre o teclado. Pressão de que ele até gostava, fazia parte do processo. Agora, ele mesmo se impusera uma demanda: escrever um poema para Viviana, um que fosse capaz de inspirar uma canção.

Vinícius não era *expert* na arte de escrever nada além de romances. A inabilidade para contos, novelas, poemas, crônicas ou outras modalidades de literatura era decorrência de nunca ter tentado com vontade. Para ele, uma boa ideia jamais deveria ser desperdiçada em poucas linhas. *Se a ideia é boa o suficiente para ser colocada no papel, ela deve iniciar uma história maior. Deve ser a semente de algo que caminhará de braços dados com o leitor por longo e prazeroso tempo.*

Desafio instigante: conseguir, em um número reduzido de palavras, contar um pouco sobre a falta de Viviana no mundo. Pois ele tentou, escreveu, riscou, amassou algumas folhas. E no meio da madrugada, enfim, encontrou algumas frases. Rabiscou um poema rimado, ritmado, belo e simples. Incompleto, não queria terminá-lo sozinho. E não tinha certeza se aquilo daria em canção, mas sabia muito bem a quem pedir para tentar musicá-lo...

32

O dia amanheceu quente na Andaluzia. Os três vestiram roupas leves, arranjaram chapéus e sandálias na lojinha do hotel, e caminharam algumas quadras até o Palácio de Buena Vista, no Museu Picasso.

– Meninas, esta é a cidade onde nasceu o maior artista do século 20 – Vinícius revelou, empolgado.

– Papai, você não é o maior artista do mundo? – Vida perguntou.

– Eu? Hum... Quase, fadinha. Eu... Sou o maior artista do século 22, que tal?

– Ah! – A filha sorriu, sem dar muita bola e preocupada em dobrar a aba do chapéu.

Na entrada do museu, pegaram os folhetos com as indicações das obras e passaram a andar por entre inúmeras peças originais ou réplicas de diversas fases da caminhada artística do mestre. Vida entortava a boca para quadros estranhos a uma mente acostumada a assistir aos desenhos arredondados, fofinhos, gorduchos e coloridos da televisão e do cinema. Valentina, ao contrário, esquecia-se em frente aos quadros e esculturas. Virava a cabeça para um lado, para o outro, olhava de vários ângulos a mesma obra, consultava o folheto com as explicações.

– Sabiam que algumas destas pinturas geniais, aqui, foram feitas por ele aos quinze, dezesseis anos? – Vinícius perguntou.

– Sério? – Valentina devolveu.

– Pra você ver. Não há idade para um artista colocar para fora todos os sentimentos adormecidos em seu peito.

– Você escreveu seu primeiro livro com qual idade?

– Dezesseis. Mesmo não sendo nada genial, o importante foi não esconder de mim, não negar algo que eu tinha muita vontade de fazer.

Valentina sentia as palavras como indiretas para uma menina cheia de sonhos e que nunca admitira, para o próprio pai *best-seller*, amar escrever histórias de amor. Mas ela não esticou a conversa, não cedeu. Não pretendia revelar que, também aos dezesseis, já tinha escrito um livro além da história com a mãe.

– Muito lindo este – ela mudou de assunto e apontou para uma sequência de figuras.

– Ah, este é um dos meus favoritos. O nome é "Touro". – Ele consultou o folheto. – Aqui diz que é uma réplica. Temos aí uma aula inteira sobre o tema "alma".

Os três sentaram-se na banqueta mais próxima e Vinícius passou a explicar:

– Percebam as onze figuras de touros. A primeira é um tourão cheio de detalhes, de músculos. A última, um touro com poucos riscos.

– Eu gosto daquela ali. – Vida apontou para a última figura, que lembrava um desenho de criança.

– Eu também, filha. O que o Picasso fez foi dar uma aula de arte moderna, mostrando como a arte pode ir da coisa mais acadêmica até a mais abstrata e simples. Ele vai desconstruindo o animal. A cada nova figura, é como se ele tirasse um pouco de touro do touro. Se vocês repararem bem, é como se ele fosse entrando no bicho, revelando a alma dele. A essência do touro está ali no último quadro, naqueles pouco mais de dez traços.

Vida fez cara de quem não entendeu uma vírgula do comentário. Valentina, por outro lado, levantou, foi até perto das figuras e disse:

– Ele era excepcional em todos os estilos.

– Verdade. O importante é tentarmos, seja com o absoluto domínio das técnicas ou com a mais singela das emoções, colocarmos numa tela de pintura, ou numa tela do computador, as almas de nossas histórias. Na nossa vida, podemos optar por sermos detalhistas ou simples. Basta escolhermos o caminho e seguirmos em frente.

– Ele dominava todas as técnicas...

– Sim. A serviço do que tinha necessidade de dizer ao mundo. Ele dizia que *a inspiração existe, mas precisa encontrar você trabalhando.*

Valentina ficou olhando para as figuras e sorrindo.

⏮ ⏭

Próximo do meio-dia, a fome começando a dar sinais, os três saíram do museu e chegaram à *Playa de la Malagueta*, repleta de gente. Vida correu na frente e se jogou no chão para fazer um castelo de areia. Vinícius e Valentina sentaram-se sobre as sandálias.

– Você já esteve aqui também com a mamãe? – Valentina perguntou.

– Quando você ainda era pequena, participei de um festival de literatura em um teatro lá no centro. A mamãe veio comigo.

– Ela sempre viajava com você?

– No início, sim. Depois passei a ter tantos eventos que ficou impossível. Passei muitos fins de semana longe.

– E se arrepende disso? De ter permitido a literatura afastar você dela?

– Muito. De quantas festas, lançamentos, feiras e eventos eu participei sem sua mãe...

– E por que ela não ia?

– Porque ela tinha a carreira, os projetos, as construções. Tinha que cuidar de você, da casa. Porque os eventos se repetiam, ela já não se interessava tanto. Sempre as mesmas pessoas, as mesmas perguntas, os mesmos sorrisos e apertos de mão. Quando ela descobriu a doença, nem uma vez mais.

– Mas ela sonhou os seus sonhos, isso você nunca vai poder negar.

– Ela nunca se dedicou integralmente à carreira de arquiteta. Podia ter feito mais, chegado mais longe, realizado mais sonhos dela e não meus. Você não imagina o quanto sua mãe me ajudou no início, quando éramos só eu e ela, quando eu não tinha editora, quando precisava de alguém para se passar por minha empresária. Nos dias em que eu não podia ir à agência dos Correios despachar os livros vendidos, ela ia feliz da vida.

– Quantas noites eu dormi com ela, você sei lá onde e fazendo sei lá o quê... – Valentina dizia e olhava para o mar. – Ela me contou que quando vocês eram pobres os projetos de arquitetura dela pagavam as contas.

– Verdade. Sua mãe pagou as tiragens independentes do meu segundo e terceiro livros. Eu colocava os exemplares debaixo do braço e saía de bar em bar, de feira em feira, batendo na porta das editoras ou em busca de uma entrevista em algum programa de rádio ou TV. E ela varava noites fazendo os projetos, que vendia por uma ninharia, mas que se transformavam em água, luz, telefone, comida e aluguel.

Ficaram em silêncio por alguns instantes, apenas ao som do vento suave soprado do mar.

– Você não foi mesmo justo, por tudo o que ela fez por você... – Valentina murmurou.

Vinícius tentou abraçá-la de lado, mas ela afastou o braço, levantou-se e foi andando até perto de Vida ajudá-la a fazer o castelo de areia. E ele ficou olhando de longe as duas únicas pessoas capazes de redimir suas falhas como pai, como marido e homem, envolto nas também duas únicas certezas que o acompanhavam desde a morte da esposa: o caminho ainda seria longo, mas ele o percorreria até o fim, não importava a que custo.

⏮ ⏭

O sol começou a esquentar a nuca e Vinícius foi até perto das duas, ao redor do castelo de areia.

– Alguém aqui gostaria de conhecer um castelo de verdade?

– Tem príncipe lá? – Vida perguntou.

– Se não tem, já teve.

– Eu quero – ela gritou e se levantou com a roupa cheia de areia.

Vinícius foi dizendo e batendo nas costas dela para limpar:

– Então vamos comer antes, porque o passeio é longo.

Foram até um *chiringuito*, o nome dado aos bares de praia na cidade. Espetos de sardinha para os três, cerveja fria para Vinícius e refrigerante para as meninas. No início da tarde, o ônibus os deixou próximo à fortificação de La Alcazaba e ao Castillo de Gibralfaro, no alto de um morro com vista para a cidade e o Mediterrâneo. Valentina olhava fascinada para a história viva de coisas que já tinha estudado. A vista da cidade impressionava, mas nada daquilo conquistava a pequena Vida. Vinícius percebeu, conformado, que não demoraria muito a precisar ceder e levá-la à Disney.

– Papai, este castelo é muito chato! Cadê a Cinderela e a Branca de Neve? Não tem dragão nem cavaleiro? – A pequena reclamou o passeio todo, de braços cruzados e com um enorme bico.

Mais uma vez, Vinícius teve de recorrer à habilidade de contador de histórias para distraí-la. Sentaram-se num banco do belo jardim e ele passou a inventar:

– Pois eu e a Valentina vamos contar uma história tão boa quanto a da Cinderela. – Ele piscou para a filha mais velha e continuou: – Era uma vez um príncipe muito bonito, que vivia ali do outro lado do mar. Do lado de cá, neste castelo, exatamente ali, ó... – Vinícius apontou para uma janela no alto de uma torre. – Existia uma princesa linda e solitária, não é mesmo Valentina? – Ele levantou a bola para a filha continuar a história.

Valentina, porém, tomou um rumo que ele não esperava:

– A princesa sofria de uma doença incurável e passava os dias definhando, cada vez mais magra, feia e sozinha, sempre à espera do príncipe. Mas...

– Mas o príncipe tinha um império para cuidar, muitas bocas para alimentar... – ele se apressou em completar.

– A princesa necessitava da presença dele – Valentina dizia, encarando Vinícius. – Ela era seu grande amor e nada deveria ter sido mais importante para o príncipe.

– O problema, Vida, é que o egoísmo e o desejo de conquistar cada dia mais coisas cegaram o príncipe. As ausências dele não foram de propósito, e ele não percebeu o mal que fazia.

– Não importa que não tenham sido propositais, porque a princesa tinha feito tudo por ele. Ela tinha ajudado a construir boa parte do império do príncipe, mas ele, mal-agradecido, só queria saber de ficar do outro lado do mar com seus livros, seus súditos, seus puxa-sacos reais.

Vinícius, então, parou de interferir. Fez um sinal com a mão para que ela continuasse. Ele queria escutar o fim da história.

– Pois um belo dia, Vida, a princesa estava tão doente, mas tão doente, mas tão doente... E as dores que ela sentia eram tão fortes, tão fortes, tão fortes...

Vida estava de boca aberta e em completo silêncio. A irmã continuou:

– Que pediu para os médicos do castelo desligarem os aparelhos que a mantinham viva. – Valentina começou a chorar.

Vinícius arregalou os olhos. Valentina prosseguiu, entre soluços:

– Mas a filha da princesa não deixou. Brigou, esmurrou o corpo da mãe e disse que não era justo ela pedir aquilo, porque, mesmo o príncipe não se importando o tanto que devia, ela ainda tinha duas filhas que a amavam. A princesa então pediu perdão por ter tido aquela ideia.

Vinícius colocou as mãos no rosto para segurar as lágrimas.

– E a mais velha, ao olhar para o triste rosto da princesa, sentiu uma coisa tão ruim pelo príncipe, mas tão ruim, que desejou não ser mais filha dele. Aquele foi o instante em que o castelo que ela tinha construído em seu coração, e no qual o príncipe ainda morava, desmoronou de vez.

– Eu não sabia, meu amor. Eu nunca soube.

– Não soube porque a princesa implorou para a filha nunca deixar o príncipe saber que ela algum dia tinha desejado aquilo. Só que a filha decidiu revelar ao príncipe, para ele refletir sobre o mal que suas ausências causaram. E que nenhum império, por maior que seja, pode ser mais importante do que o amor verdadeiro de uma princesa.

Vida perguntou:

– Papai, o que foi? Você tá chorando? O que aconteceu com a princesa?

Valentina pegou Vida no colo e saiu pelo meio do jardim, terminando a história para a pequena:

– No fim, a princesa foi morar com o papai do céu e o príncipe ficou infeliz para sempre. E a lição que ficou foi a de que o príncipe deveria passar a cuidar melhor do castelo e das filhas da princesa, para honrar o maior amor que já se viu naquele reino.

⏮ ⏭

A descida do morro foi silenciosa. Dentro do ônibus, Vida dormia no colo de Valentina. Saber que Viviana havia desistido de lutar, a ponto de querer encerrar tudo antes de o próprio corpo dizer a hora, revelou a Vinícius um sofrimento muito maior do que a esposa havia deixado transparecer a ele.

Olhando para a bela vista dos jardins da cidade, Vinícius quebrou o silêncio:

– Sabe uma coisa de que eu tenho saudade? De quando você pegava seu violão e compunha. Você se lembra disso?

– Lembro. Mas eram coisas bobinhas.

– Não tinha festa de família sem um show com suas composições.

– Eu era muito sem noção mesmo.

– E se eu pedir para você me ajudar a compor uma canção? Eu sou uma negação com música.

– Disso eu sei.

– Posso te dar um pedaço de letra e então você coloca melodia nela?

– Que estilo de melodia?

– Você decide. Melodia e a letra são duas coisas que se completam. Para fazer uma grande melodia, a pessoa tem que estar com a alma cheia de sentimentos bons e puros. Não acho que eu seja hoje a pessoa mais recomendada para conseguir uma boa melodia. Você, ao contrário...

– E que letra é?

– Na verdade, não está pronta. Preciso que você e a Vida me ajudem a terminar. Escrevi ontem à noite, no quarto. Sabe, eu nunca fiz uma canção para a sua mãe. Ela amava música, e uma das coisas de que me arrependo é não ter nem tentado compor uma para ela. Seria legal se a gente tentasse junto, não?

– Mas eu não tenho violão aqui. Não sei se eu conseguiria.

– Esse é o menor dos nossos problemas. Espere aqui.

Vinícius foi até a frente do ônibus e trocou meia dúzia de palavras com o motorista. Algumas quadras depois, o ônibus encostou e o motorista fez um sinal de que haviam chegado próximo ao destino pedido. Caminharam por duas ruas e então Vinícius encontrou uma grande loja de instrumentos musicais. Na entrada, baterias, instrumentos de percussão, amplificadores, uma parede alta lotada de guitarras e contrabaixos elétricos. Vinícius perguntou pelos violões e o vendedor indicou uma sala reservada na lateral. A quantidade de instrumentos era imensa. Martins, Taylors, Yamahas, Takamines, Ibanez, dos mais básicos aos mais caros e profissionais.

Valentina parecia não saber para onde olhar.

– Posso testar aquele ali? – Ela apontou para um Taylor preto no alto.

– *¿Puede mostrarme aquella guitarra?* – Vinícius perguntou ao vendedor.

– *Sí. Claro. Un momento, por favor. Es una guitarra estupenda. Buena elección* – disse o vendedor, em meio a um sorriso.

O toque suave dos dedos finos nas cordas de aço veio limpo. Valentina sorriu. Vinícius olhou de lado para ela, levantou a sobrancelha e disse:

– Vamos levar. Já passou da hora de a minha filha ter um violão de verdade.

Os olhos dela brilharam. Ele completou:

– Você me ajuda com a música?

– Ajudo.

⏮ ⏭

Ao fim do jantar no restaurante do hotel, em que, por sugestão do *concierge* Javier, provaram o *gazpachuelo*, um caldo feito de peixe, ovos, azeite, alho e torradas, eles decidiram ficar por ali mesmo. Dentro do elevador, com Vida já caindo de sono, Vinícius tirou do bolso um papel e o entregou para Valentina.

– Toma, filha. O pedaço de letra que fiz para a sua mãe.

⏮ ⏭

Mais tarde, no silêncio do quarto, Vinícius começou a ouvir um dedilhado quase imperceptível de violão. Pegou um copo de vidro dentro do frigobar e o posicionou na parede conjugada com o quarto de Valentina. Puxou uma cadeira, sentou e grudou o ouvido no copo. A frágil e doce voz da filha passou a murmurar diversas pequenas melodias, costurando os versos e dando forma a uma canção de verdade. Havia alguns anos ele não a escutava, e a paz preencheu sua alma. Aos poucos a melodia foi pegando corpo e uma parceria inédita entre pai e filha pareceu ganhar vida.

Quando o dedilhado silenciou, ele conectou o *tablet* e enviou uma mensagem para a amiga de Valentina:

Olá, Bárbara. Mudamos de cidade e a programação anda intensa por aqui. Gostei de saber sua percepção de que estou no caminho certo. Sabe, eu sinto que minha aproximação com ela será por meio da literatura ou, veja só, por meio da música. Nunca me imaginei um dia fazendo parceria musical com a Valentina, mas estamos tentando uma. Acho que chegarei lá. E, aproveitando, eu queria saber se minha filha já falou para você algo sobre as coisas que ela escreve. O que você sabe sobre isso?

33

Pouco depois das cinco da manhã, Vinícius já estava com os olhos abertos, acostumado sempre a levantar antes de o sol colocar a testa no horizonte. Ligou o *tablet* para conferir se Bárbara havia respondido. Novamente, a resposta havia chegado pouco tempo depois de ele ter enviado.

Olá, Vinícius. A relação de Valentina com a literatura é a seguinte: a literatura é a coisa que ela mais ama na vida. Ler e escrever. Se você não percebeu isso antes, só pode ser porque não prestou atenção ou porque esteve realmente ausente do universo dela. Já li alguma coisa, são textos de uma jovem em busca da atenção de um grande espelho: você. Desculpe a sinceridade, a verdade pode doer, mas você não conhece quase nada sobre sua própria filha. Não é mesmo um exemplo de pai.

Mais uma dura verdade que deixava Vinícius sem chão, e, neste caso, dita sem rodeios por uma pessoa que ele nem conhecia.

Bárbara, você me diz que sou o grande espelho dela. Mas, se eu fosse mesmo, ela já teria cedido, principalmente após tanta abertura que tenho dado. O grande espelho dela era a mãe, e eu não quero competir com o amor dela pela Viviana, não mesmo. Era um amor puro, lindo, verdadeiro. Preciso conquistar isso, mas ao meu modo.

Então finalmente ele reparou que na mesma manhã havia chegado aquela mensagem pela qual esperara desde o início da viagem, de seu interlocutor inglês. O texto dizia:

Vinícius, meu querido. Muito bom saber que você estará por aqui na cidade. E é claro que topo o que me pediu. Estarei de férias. Na terça-feira que vem está ótimo, que tal? Há um pub tradicional no centro, chamado Angry Duck. Serve um ótimo peixe com batata. Por mim já está combinado. Ansiosa para revê-lo. Beijos.

Ele respondeu no mesmo instante, também em inglês:

Perfeito que tenha lido a mensagem a tempo e que esteja disponível para me encontrar. Vai ser muito bom revê-la. Angry Duck, duas da tarde. Obrigado por tudo. Um grande beijo.

⏮ ⏭

Sentados à mesa do café da manhã, Javier se aproximou e disse:

– *Señor Becker, ya tiene el auto en la puerta.*

– Perfeito! Meninas, terminem o café porque a nave-mãe parte daqui a pouco! – Vinícius gritou e esfregou as mãos. – O papai aqui alugou um carro e hoje nós vamos rodar pela Andaluzia, o reino do sol e da dança!

O Mercedes conversível vermelho reluzia na entrada do hotel, as chaves deixadas pela locadora de automóveis à espera na recepção. As duas se sentaram atrás, Vida na cadeirinha.

– Pra onde vamos? – Valentina perguntou.

– Já ouviu falar em *road movie, easy rider*, sem destino? Como diria a canção, *pra onde tenha sol, é pra lá que eu vou*. Por falar em música, alguma sugestão?

– Aquela do Alvin e os Esquilos, papai – Vida gritou.

– Grande pedida. Alvin e os Esquilos... Alvin... Me deixe ver... – Vinícius fingiu procurar no console do veículo. – Ih, não temos esquilos no cardápio, infelizmente. Aliás, não temos opção nenhuma, pois não trouxemos Ipoooodeeeeee – ele repetiu o mesmo grito de antes da viagem.

– Então qualquer música serve, não? – Valentina constatou.

– Vou procurar no rádio alguma espanhola, peraí.

Em poucos segundos *Rio Ancho*, na guitarra espanhola de Paco de Lucia, gritava nos alto-falantes da Mercedes. E eles aceleraram para a saída da cidade, estrada A-45, em direção a Granada. Vinícius olhou pelo retrovisor as meninas com seus cabelos ao vento e sentiu saudade de um momento que nunca tinha vivido. A mão direita foi acariciando o couro creme do banco do carona vazio, e ali ele olhava para Viviana, a beleza clara de cabelos lisos, negros e sorriso aberto. Inspiração aparentemente inesgotável no início, tornada quase nula pelo tempo, e agora voltando com força e pregando no peito dele a necessidade de escrever, ou de pelo menos realizar na mente o parágrafo perfeito que teria ele próprio como único leitor.

– Como eu queria você aqui, meu amor – ele murmurou para si mesmo.

Após uma longa curva, entraram em uma descida e o cenário se abriu. Valentina gritou:

– Olha só ali, que lindo! – Ela apontou para a direita.

Um enorme campo de girassóis pintava o cenário de amarelo até onde a vista alcançava. Ele sorriu, parecendo não se surpreender com a vista. E disse:

– Eu quero ir lá perto. Vamos?

– Eba! – Vida gritou.

Vinícius aguardou a primeira saída da estrada e pegou uma vicinal. Contornou como deu e alcançou uma estradinha lateral de cascalho. Em pouco tempo, o campo de girassóis estava ao lado direito. Ele estacionou e gritou:

– Quem vem comigo?

– Mas a gente não pode fazer isto!

– Não chamemos de ilegalidade, Valentina. Chamemos de "uma pequena travessura". De vez em quando, não faz mal a ninguém.

Passaram pela cerca e começaram a correr entre as fileiras das flores, rodelas enormes e amarelas viradas para o sol. O perfume envolveu os três.

– Isto é a coisa mais linda que eu já vi. Que cheiro delicioso! – Valentina comentou.

– O significado do girassol é sucesso, sorte e felicidade, vocês sabiam?

Vida pegou uma enorme flor caída no chão, maior do que sua cabeça, e tentou colocar atrás da orelha. Vinícius e Valentina deram risada da pequena. Ele se ajoelhou em frente a ela e colocou a flor no bolso da frente da jardineira jeans. Valentina pegou outra flor caída:

– Posso levar uma também?

– Que ela traga sucesso e felicidade, minha filha. Sorte você já tem de sobra.

Então, uma voz raivosa veio ao longe:

– *¿Qué hacen ustedes en estos campos? ¡No pueden estar aquí!*

Ao longe, correndo em direção aos três, vinha um homem gordo, de suspensório e chapéu de palha. Segurava um ancinho nas mãos. Vinícius pegou Vida no colo e saiu correndo e gargalhando.

– Corre, Valentina!

A filha veio atrás, também rindo muito. Passaram pela cerca, entraram no carro, Valentina prendeu Vida na cadeirinha enquanto Vinícius saía cantando pneu e derrapando no cascalho. As duas levantaram os braços, cada uma com seu enorme girassol nas mãos, e gritaram juntas:

– Uhuuuuu!

⏮ ⏭

Em mais quarenta minutos, chegaram ao pé da *Sierra Nevada*. Granada, a cidade do flamenco, se descortinou à frente da Mercedes. E, no tradicional bairro do Sacromonte, foram a um bar com uma enormidade de presuntos pendurados no teto, para saborear as famosas *tapas*, os tira-gostos tradicionais do local. Sentaram-se a uma mesa na rua e, para alegria das meninas, Vinícius pediu uma sequência de queijos, azeitonas, *tortillas, chorizos e jamónes ibéricos*.

– Conseguiu mexer na canção, filha? – Vinícius perguntou a Valentina.

– Consegui. Quase pronta.

– Está faltando o quê?

– Melhorar uma ou outra melodia. Consertei a letra, pra encaixar melhor e deixar certinha. Pra dar como terminada, preciso de uma palavra que rime com "bate" para colocar no refrão.

– Opa! Podemos te ajudar?

Valentina deu de ombros.

– Bate... Bate... Hum... Vida, uma palavra que se pareça com "bate".

– Chocolate – ela respondeu de pronto, sem dar muita bola, enquanto procurava uma azeitona.

Vinícius deu uma gargalhada. Valentina disse:

– "De meu coração que ainda bate, no tempo infinito de um chocolate?".

– "No doce tempo de um chocolate?" – Vinícius sugeriu.

– Melhor – Valentina concordou e riu.

– Fez todo o sentido a frase. – Vinícius piscou para ela e continuou:

– Quando vamos ouvir?

– Qualquer dia destes...

De repente, o som de uma guitarra espanhola com sua batida característica começou a preencher o ambiente. A percussão entrou reforçando o ritmo. O violonista cigano sentou no meio-fio e abriu o *case* do instrumento, para receber o dinheiro depositado pelos turistas. O percussionista descia a mão no *cajón*, sorria e balançava os ombros. Ao lado, começou a bailar uma cigana de saia rodada, bandana na testa, enormes brincos vermelhos e castanholas nas mãos. O semblante das duas meninas era de uma beleza límpida, os traços de Viviana impressos nas linhas de seus rostos. A cigana puxou Valentina pelas mãos e ela entrou na dança, rodopiando num bailado suave e alegre, o All Star dialogando com o sapato de dança preto a golpear o chão. A euforia tomou conta da menina e contagiou turistas que estavam no restaurante e outros que caminhavam pela rua.

– Queria tanto ter a mamãe aqui... – Valentina murmurou no fim das canções, ao sentar de volta.

Em meio aos aplausos, Vinícius entregou uma nota de cinquenta euros para Vida, que correu e foi jogar dentro do *case* do violonista. Valentina olhava fascinada para a cigana. Então, a dançarina chegou ao lado de Valentina, pegou sua mão, correu o dedo pela palma e disse:

– *Fuerza... Amor...* – Ela olhou para os olhos da menina, que retribuiu com um sorriso. Voltou a consultar as linhas da mão e continuou: – *Angustia, dolor... Pero también, éxito en el futuro.*

– *Gracias* – Valentina devolveu com uma das poucas palavras que conhecia do espanhol.

E a cigana terminou, de forma pausada:

– *En sus venas corre sangre gitano.*

– Cigana? Eu? – Valentina sorriu e pediu dinheiro para Vinícius. Ela tentou entregar a nota de dez euros para a senhora, que recusou e disse:

– *Basta. No es necesario. Pagos, solamente para la danza.*

34

Ao chegarem de volta ao hotel, a lua já no comando das ações no céu, Vida dormia um sono justo. Estacionaram e, ainda no saguão, Vinícius perguntou para a filha mais velha:

– Vamos beliscar alguma coisa naquele restaurante ali no final da rua?

– Pode ser.

Javier emprestou um carrinho de bebê e os três saíram porta afora. Menos de cem metros depois, entravam no pequeno e chique restaurante, com mesas de madeira e música instrumental suave. Sentaram-se e pediram o cardápio.

– Uma cerveja para mim e outra para você? – Vinícius perguntou para Valentina.

– Mas... Eu... É? – Ela levantou uma sobrancelha.

– Se um pai não puder tomar nem uma cerveja com sua filha mais velha, que já tem quase dezessete, de que adianta fazer parte deste mundo?

– Você nunca me deixou beber.

– Isso ia acontecer uma hora ou outra. E prefiro que, por enquanto, seja comigo do lado.

A menina abriu um sorriso.

Ela escolheu uma Bud Light e ele decidiu tentar uma de trigo com nome impronunciável. Sobre a mesa, *couvert* de pães, queijos, manteiga, azeite e fatias de embutidos. Vida nem se mexia dentro do carrinho, olhos fechados, boca aberta e respiração tranquila. Vinícius ficou um tempo olhando para a beleza da pequena e, quando o garçom serviu, ele levantou o copo e disse:

– Viva *la* vida.

– Ela? – Valentina apontou para o carrinho.

– Também.

Valentina levantou o copo, bateram.

– É o nome de uma canção apropriada pra estes dias – ela soltou.

– Qual canção?

– Viva *la* vida.

– Ah. E o que diz?

– Algo do tipo *Eu dominava o mundo. Agora, durmo sozinho e varro as ruas que possuía.*

Ele deu um sorriso triste e suspirou.

– Uma boa lição. Tardia, mas uma boa lição.

– É.

Tomaram alguns goles em silêncio, até Vinícius perguntar:

– Quando você me disse que eu não sou capaz de amar, queria dizer o quê exatamente?

Ela colocou uma grossa fatia de queijo na boca, mastigou até engolir e respondeu:

– Que eu conheço o outro lado da história. Moro com você e não vejo correlação entre suas histórias e as suas práticas do dia a dia. Faça o que eu digo, mas não faça o que eu faço.

– Você acha mesmo que eu não acredito nas lições de vida das minhas personagens?

– Você pesquisa um monte de coisas sobre sentimentos. Não precisa esconder, eu sei o tanto que você pesquisa. Mas qual a dificuldade de tentar vivenciar aquilo, e não só cuspir as palavras no papel? Não seria bem mais interessante?

– Não tenho dúvida sobre isso, mas nem sempre a gente consegue. Somos humanos, erramos feio o tempo todo. As personagens, por outro lado, podem, sim, se aproximar de algum conceito de "perfeição". E que mal há em querer criar personagens que não sejam parecidas comigo?

– Nenhum problema. Só acho que você perde a oportunidade de tentar se parecer com algum deles e se tornar alguém melhor.

– Você já leu os meus livros? Nunca me disse...

– Já li alguns. – Ela balançou a cabeça devagar, sem dar maiores detalhes.

– Diz pra mim o que você acha deles.

– Suas histórias são lindas e perfeitas – ela respondeu rápido.

– E isso não é bom?

– Seria, se na vida real você fosse daquele jeito.

– Tá bom, você insiste nisso de eu viver as minhas histórias. Vou pensar sobre.

– Você não precisa fazer nada porque eu tô falando – Valentina interrompeu.

– Eu sei, mas ainda assim agradeço pelo toque. Talvez seja algo que eu sempre tenha precisado ouvir e ninguém tenha me dito. O fato é que as pessoas não têm a sua "visão de dentro". Podem até me achar mesmo parecido com as coisas que eu escrevo, mas... No fundo, as pessoas não compram autores, não compram livros. Compram a emoção que a história promete proporcionar. O que cada leitor quer é, durante a imersão no mundo criado pelo escritor, esquecer-se dos problemas, angústias e tragédias do dia a dia. Ou, ainda que por alguns instantes, experimentar uma vida diferente da sua realidade.

– Se você considera os seus livros como uma droga que você oferece, então as suas palavras podem até fazer sentido.

– Pode-se dizer que sim. – Vinícius bebeu um gole da cerveja. – Olha, escrever é mesmo uma droga. O prazer no ato de escrever, e ainda mais quando alguém dá o retorno de que sua história fez alguma diferença, é maior do que qualquer inconsciência proporcionada pelo consumo de alguma droga ilícita conhecida. Se o leitor também encara o livro como essa fuga da realidade, então que a droga literária seja compartilhada por ambos, escritor e leitor.

– Por que as pessoas se contentam com tão pouco? Por que a vida real não pode ser uma fantasia com capítulos, reviravoltas e sonhos realizados de forma inesperada?

– E quem disse que não podemos enxergar dessa forma? A vida é uma jornada com começo, meio e fim. Cada pessoa é o herói de sua própria caminhada. Aliás, essa é uma teoria interessante para aplicar na literatura e na vida pessoal.

– Na teoria tudo é sempre mais fácil...

– A caminhada da sua vida está apenas no início, filha. E você vai aprender que milhões de fatores do mundo real estarão fora do seu controle. Infelizmente, não há como sermos completamente o deus da nossa história real. Por exemplo, eu não consigo criar uma tempestade agora, mas num livro eu posso alterar todo o curso de uma cena que precise desesperadamente de uma tempestade para seguir para determinado lado. Na vida real, jamais vou conseguir colocar na boca de alguém as palavras exatas que eu gostaria de ouvir. Já num livro...

– Se o universo fosse um livro e você o escritor dele, o que alteraria?

– Faria sua mãe entrar por aquela porta ali, vestida de vermelho, de salto alto e com uma flor nos cabelos. Ela nos diria que tudo não passou de um pesadelo, acariciaria os cabelos de nós três, sentaria aqui e nós quatro teríamos um jantar maravilhoso e inesquecível. E você, o que alteraria?

– Alteraria a cor do vestido dela para roxo, a cor da realeza.

Vinícius apertou os lábios e sorriu. Levantou o copo em direção à filha. Ela brindou silenciosamente e comentou, olhando para o chão:

– Acho que a vida podia ser mais simples, sabia?

– Concordo. E isso tem a ver com as histórias que a gente inventa e com a história que a gente vive.

– Como assim?

– Lembra dos poucos traços do touro de Picasso?

– Lembro.

– E de quando eu contei a história de Davi e Golias para a Vida? E depois aquela do príncipe e da princesa que nós dois contamos?

– Também.

– Você percebeu como foi fácil chamar a atenção da sua irmã?

Valentina assentiu com a cabeça.

– Pois é. Devemos procurar aquelas poucas linhas da última figura do touro. O difícil é ser simples, filha. Complicar é muito mais fácil. Sua geração, a minha, a dos meus pais, a dos meus avós, bisavós, tataravós e quantas mais para trás a gente conseguir voltar. Da mesma forma, as próximas gerações, dos seus filhos, netos, bisnetos e todas daqui para a frente. Tantas pessoas quantas ouvirem essas histórias tão singelas serão tantas pessoas que vão se encantar. E sabe por quê? Porque ninguém quer uma vida complicada.

– Sua história com a mamãe era simples. Por que você complicou?

Vinícius estacou, tomou um demorado gole, respirou com calma e disse:

– Quem complicou não fui eu. Como você bem disse, foi aquela doença estúpida que tira do mundo as melhores pessoas. A questão é que eu não admitia tanto sofrimento na vida dela. Eu odiei Deus, odiei o destino, odiei escutar qualquer coisa relacionada a hospital, quimioterapia, radioterapia, dor, transplante de medula e solidão. E, em vez de me aproximar de sua mãe, acabei me afundando nos livros. Eu queria escrever cada vez mais, criar mundos perfeitos em que nada de mal acontecesse, brincar de ser esse deus que tudo resolve.

– E, agindo assim, não considerou que sua ausência a faria sofrer infinitamente mais...

– Esse foi o meu grande erro.

– Enorme.

– Eu vou ser perdoado algum dia?

– Você quer saber o meu perdão ou o dela?

– Primeiro o seu.

– Posso antes pedir outra cerveja? – Ela levantou a sobrancelha.

Vinícius sorriu, sinalizou para o garçom e esperou as considerações da filha.

– Você foi muito ausente. – Ela negou com a cabeça e baixou a voz. – A cada respiração pesada da mamãe, a raiva aumentava em mim.

– Qual o limite dessa raiva?

– Eu não conseguiria medir. Mas o pior foi passar da raiva para o desprezo.

– A indiferença é a pior pena que se pode imputar a alguém, principalmente de uma filha que a gente ama.

– Todo mundo quer fazer parte de uma família de verdade, e saber que o sentido de família nos foi tomado pela vaidade foi mesmo uma merda.

– Só me resta tentar com todas as minhas forças devolvê-lo, e, se algum dia você se sentir à vontade para me perdoar, estarei aqui.

Valentina baixou os olhos e concordou lentamente com a cabeça. Vinícius retomou:

– E o perdão da sua mãe?

– O dela será impossível, a menos que você acredite na possibilidade de encontrá-la de novo. Se acreditar em céu, em um lugar onde ela esteja nos esperando, quando chegar lá vai poder pedir perdão. Se ela vai perdoar, já não me cabe dizer.

– Então acho que tenho chance, porque acredito naquele lugar que você falou em seu discurso no enterro dela.

– E como você acredita que ela está lá?

– Acho que cada pessoa, quando morre, chega ao céu e assume a forma que tinha na melhor fase de sua vida na terra. Assim ela ficará pela eternidade. Não digo a melhor fase de aparência física, mas espiritual, de bondade, do auge, da plenitude de querer bem aos outros, de enxergar beleza em tudo o que vê. No caso da sua mãe, ela está lá hoje... Me deixe pensar... Acho que com vinte e dois anos. Foi quando a luz que irradiava dela era a mais perfeita que uma mulher poderia emitir. Quando você nasceu.

– E quando você morrer, como vai chegar lá no céu?

– Eu? Não sei ainda, mas certamente nada parecido com os últimos quatro anos e meio.

35

- Eu não quero mais continuar a viagem – Valentina disse na manhã seguinte, enquanto Vinícius fazia o *check out* do hotel, as malas no saguão, os três aguardando a van que os levaria até o aeroporto.

Vinícius suspirou. E pediu:

– Só mais quatro dias. Faz isso por mim, por você, por nós três. Por favor, eu peço só mais quatro dias!

– Eu tô cansada, com saudade da minha cama, saudade de sentir a mamãe lá em casa. Vontade de ficar quieta no meu canto. Você disse que a gente voltaria pro Brasil se quisesse. Não consigo mais seguir em frente por aqui, fingindo que tô achando tudo lindo e maravilhoso.

– Ninguém está dizendo que você é obrigada a achar tudo isso aqui lindo e maravilhoso. Mas você não acha que podemos estar perto um do outro e viver a dor da ausência da mamãe de forma um pouco menos sofrida do que trancados cada um em seu quarto lá em casa?

– Não sei.

– Você não quer nem saber qual o nosso terceiro destino?

Valentina deu de ombros. Vinícius sentiu outra vez o poder da resistência que a tristeza da filha fazia a tudo o que ele havia planejado.

– Eu quero saber onde é, papai. – Vida puxou a barra da calça dele.

– Mas a Valentina não quer saber, fadinha. Vou pedir pro Javier um computador, comprar a passagem de volta para o Brasil e...

– Onde é? – Valentina interrompeu, olhando para cima.

– O lugar que você mais tem vontade de conhecer, desde que eu te conheço por gente.

– Sério? – Ela olhou de soslaio e franziu a testa.

– Muito sério, mas a gente volta para o Brasil, sem problemas. Onde está o Javier? – Vinícius fingiu procurar o *concierge*.

– Eu não quero voltar, papai. – Vida começou a chorar, correu até o sofá do saguão e escondeu a cabeça entre os braços.

Vinícius olhou para Valentina e pediu:

– Por ela? – E apontou para Vida.

Valentina balançou a cabeça, concordando.

– Então, vamos. Fadinha, venha cá. A gente não vai pra casa ainda, tá bom?

A menina voltou enxugando os olhos com os cachos dos cabelos. Então a van encostou e Vinícius disse a Javier:

– *Gracias por todo.*

Javier jogou um olhar sem graça e puxou um livro de trás do balcão. O exemplar espanhol do penúltimo livro de Vinícius, sucesso de vendas na Espanha.

– *Señor Becker, ¿Puede firmar un autógrafo?* – o rapaz perguntou de forma tímida e esticou o livro e uma caneta.

– *¿Cómo sabe que soy escritor?*

– *Todos acá lo saben. Desde su llegada se habla de eso.*

– *¿La dedicatoria es para usted?*

– *No. Para Soledad, mi hija.*

– *¿Cuántos años tiene?*

– *Diecisiete.*

Vinícius autografou e entregou ao *concierge*.

– *Solo una cosa más* – Javier continuou.

– *Dígame.*

– *¿Me puedo hacer una foto con usted?*

– *Sí, claro.* – Vinícius sorriu.

Javier sorriu de volta, pegou o telefone e apertou um botão. Balbuciou alguma coisa e, em cinco segundos, a porta que dava para o salão de café da manhã se abriu e uma dezena de funcionários do hotel encheu o saguão. Camareiras, faxineiros, cozinheiros, todos sorridentes. Valentina e Vida jamais haviam presenciado tamanha demonstração de carinho e devoção com o pai-escritor. As duas não diziam nada, de boca aberta e parecendo incrédulas. Os funcionários se amontoaram como para uma foto de time de futebol. Vinícius se ajoelhou no centro e Valentina teve de tirar fotos com seis câmeras diferentes.

Após os autógrafos para todos os funcionários e as despedidas com promessas de retorno, os três entraram na van e seguiram para o aeroporto.

– Papai, você é famoso? – Vida repetiu a pergunta de poucos dias antes.

– Não, minha linda. Mas, se vocês duas virarem minhas fãs, eu vou ser o homem mais famoso e feliz do mundo – a resposta foi a mesma, ainda permeada pela incerteza se aquilo estava mais perto ou mais longe de acontecer.

36

O voo de pouco menos de duas horas foi tranquilo e os deixou no aeroporto de Gatwick, em Londres, no meio da tarde. Pela primeira vez na viagem, Vinícius percebeu o êxtase no olhar de Valentina. Desde quando a filha se apaixonara pela leitura de romances, a Inglaterra era um sonho. A promessa feita certa vez por Vinícius, esquecida no tempo e nunca mais cobrada pela filha, era finalmente cumprida: Valentina passearia pelas ruas da cidade onde viveram tantos autores maravilhosos; onde foram contadas tantas inesquecíveis histórias; onde moraram, passaram ou morreram algumas das personagens mais marcantes da literatura mundial.

Dentro do táxi, no trajeto que levou quase uma hora até o hotel em Covent Garden, na St. Martins Lane, Vinícius disse a Valentina:

– Quero fazer uma proposta. Dos quatro dias aqui, eu peço apenas o último. Um dia é meu, eu faço a programação. Nos outros três, a agenda é sua. Você diz aonde nós vamos, fica como guia oficial de nossa viagem. O que acha?

– São tantos lugares... – Valentina disse com o nariz colado no vidro do carro.

– Nossa, nossa, nossa! – Vida gritou e apontou. – Ali, ali. – Ela pulava no banco de trás, sobre o colo de Vinícius.

– O que foi, fadinha?

– Aquela roda, aquela roda! – A pequena continuava gritando.

– Aquela é a London Eye, Vida. – Os olhos de Valentina brilhavam e ela já começava a fazer o papel de guia. Virou-se para Vinícius e continuou: – Também é chamada de Roda do Milênio.

Vinícius sabia de tudo aquilo, já havia experimentado a enorme roda-gigante à margem sul do Tâmisa. Estivera na cidade duas vezes para eventos e conhecia um pouco daquilo tudo, mas decidiu deixar todas as informações a cargo da filha.

– Sério? Nunca andei. – Ele se virou para Vida. – Se a Valentina achar que é um bom passeio, podemos ir, sim.

– Você já veio a Londres? – Valentina perguntou.

– Duas vezes. Mas praticamente fiquei só no hotel e na livraria onde fiz o lançamento dos livros.

– Então eu topo ser a guia. E é claro que vamos à roda-gigante, Vida.

A pequena sorriu e abraçou a irmã.

⏮ ⏭

O saguão do moderno hotel era de cair o queixo, as meninas não sabiam para onde olhar, ou em qual dos inúmeros sofás-*design* sentar. Restaurantes de dois dos mais renomados *chefs* europeus, além da maior academia de todos os hotéis da Europa. Quando Vinícius apresentou o documento no balcão e o atendente abriu um enorme sorriso, Valentina, com Vida no colo, comentou para si mesma:

– Deve ser mais um fã...

De longe, Vinícius fez com os dedos os números um, dois e três, murmurando com a boca: "um simples e um duplo? Ou um triplo?". Ela pensou, coçou a cabeça e fez o número três em resposta: "Pode ser triplo". Ele sorriu e se virou para o balcão.

O *loft* com dois quartos, cozinha e um terraço espetacular com vista para Londres era impecável. Limpíssimo, roupas de cama cheirando a lavanda, mais de dez pequenas luzes embutidas no gesso do teto da sala, piso flutuante de madeira clara, abajures e móveis com *design* moderno. As janelas dos quartos iam do chão ao teto e os banheiros eram equipados com caixas de som.

– É pra tomar banho dançando, papai? – Vida perguntou.

– Deve ser, filha. Quando a gente for tomar banho, você escolhe a música.

– Uhuuuu!

▶▶▶

Por quatro dias eles viveriam um romance: o do pai que redescobre a felicidade pelos olhos das filhas. Por mais que ele já tivesse ido outras vezes à cidade, os passeios haviam sido sempre com ares de compromisso. Nunca uma caminhada, nunca uma atravessada de bairro a pé, poucos momentos de contemplação dos monumentos e palácios, do Tâmisa, do céu da cidade. Sempre alguém "interessante" ao lado, sempre um contato importante, sempre alguém para "abrir portas no mercado". Durante aqueles quatro dias, ele reviveria e reinventaria Viviana em seu coração. Pelo jeito de caminhar, de falar ou sorrir das meninas. Trejeitos sutis de cada uma das duas, como se miniVivianas fossem, capazes de subverter qualquer bloqueio da memória e de trazer à tona um jantar romântico, palavras de carinho ditas com uma voz doce, o sabor de beijos ainda guardado na boca. Desta vez ele decidiu não ignorar os detalhes, para que o tempo não tornasse aqueles quatro dias algo a ser esquecido, no futuro, em um lugar escuro da mente.

– Acho que a gente merece registrar isto tudo aqui – ele disse, enquanto terminavam de saborear o café da manhã que pediram no *loft*.

– Você só esquece que nos impediu de trazer o celular – Valentina rebateu, apertando os lábios. – Agora, como a gente faz?

– Pois algumas regras foram feitas para as pessoas quebrarem sem culpa.

Saíram do hotel e, numa pequena loja da mesma rua, compraram uma câmera digital. Vinícius entregou para Valentina.

– Você documenta o resto da nossa viagem. Confio no seu olhar de guia – ele disse.

⏮ ⏭

No primeiro dia, as atrações escolhidas foram as mais turísticas possíveis: Big Ben, Palácio de Buckingham, London Bridge, os ônibus vermelhos de dois andares. Valentina explicava coisas que Vinícius nem imaginava que ela soubesse. De fato, o quadro com a foto de Londres no quarto da filha não estava lá à toa.

⏮ ⏭

– Hoje vamos para o mercado! – Valentina sorriu e levantou o indicador, determinando como seria o segundo dia.

– Eu queria ir pra um parquinho. – Vida cruzou os braços e fez bico.

– E se a gente tomar um sorvete bem gostoso lá nesse mercado que a Valentina vai levar a gente? – Vinícius pegou-a no colo. – Um que seja metade morango, metade chocolate, metade creme, metade flocos e metade uva?

O Metrô deixou os três na estação de Chalk Farm. O mercado alternativo de Camden se mostrava o sonho de consumo de uma menina que não era nada consumista. Nos antigos estábulos de uma companhia ferroviária, quase quinhentas lojas de roupas e acessórios funcionavam nas cocheiras desativadas. Chapéus, vestidos, camisetas de bandas, casacos, sapatos, bolsas, tudo quanto era tipo de penduricalho capaz de fazer uma adolescente de dezesseis e uma criança de quatro anos entrarem em colapso. Os olhos das duas meninas brilhavam como Vinícius jamais tinha visto. Experimentaram quase tudo, encheram a mala de rodinhas que compraram logo na entrada. Vinícius comprou um chapéu; Vida, saias, adesivos e arcos de cabelo; Valentina, colares, *bottons* e camisetas dos Arctic Monkeys e dos Ramones. Comeram crepe, tomaram sorvete, dividiram uma maçã caramelada no palito.

Vinícius nunca tinha saído com as filhas para fazer compras, ainda que tivesse descrito, duas ou três vezes em seus livros, cenas em que isso acontecia. E percebeu, mais uma vez, que suas descrições, em essência, nunca foram nada parecidas com a cena real de um pai fazendo compras com as filhas. *A impressão, quando descreve cada cena, é a de que você já esteve lá. Quanto há de real nas suas histórias?* As perguntas dos jornalistas nunca mudavam. *Eu não conseguiria escrever com amor sobre aquilo que não conheço.* A resposta-padrão das entrevistas passava a ter conhecimento de causa. Enfim a certeza de que precisava mesmo viver intensamente as coisas que escrevia. Se tivesse lápis e papel ali, rascunharia uma cena bela e crível.

– Posso fazer uma tatuagem?

Vinícius quase engasgou com o crepe de queijo e presunto no palito. Nunca havia se preparado para aquela pergunta, não fazia a menor ideia do que dizer. Ainda que não achasse lá a coisa mais certa do mundo, sabia que não era momento de negar o pedido feito por Valentina.

– Depende do que você vai tatuar.

– Você confia em mim?

Ele tomou um susto. Aquela simples pergunta trazia tantos significados entrelaçados e imensuráveis, que a vontade foi de abraça-la e dizer as palavras entaladas em sua garganta desde a perda da maior referência da família V. Sua menina de dezesseis anos, que ele vinha descobrindo ter muito mais maturidade do que imaginara, merecia o crédito de confiança.

– Vou lá com a Vida tomar o prometido sorvete de cinco metades. Esperamos você.

– Valeu. – Ela sorriu.

Vinícius autorizou o tatuador a fazer o procedimento e foi com Vida passear. Por pouco menos de uma hora, tomaram sorvete e procuraram lojinhas que vendessem fadas para pendurar no teto do quarto da pequena. Ao final, sacolas nas mãos e mala ainda mais pesada, voltaram para o estúdio de tatuagem. Valentina já estava sentada no meio-fio em frente, com um tubinho de pomada analgésica nas mãos.

– Como foi? Doeu?

– Um pouco. Nada que eu não conseguisse aguentar.

– Podemos ver? Onde foi?

– No ombro, mas deixa cicatrizar e a casquinha cair. Daí eu mostro.

– Tudo bem.

⏮ ⏭

A noite seria completada com um passeio de barco na direção leste ao longo do Tâmisa, com direito a entrada, bacalhau grelhado e sobremesa. Durante o banho de Valentina, Vinícius correu a mão por dentro da mala. Enfim, avizinhava-se o momento para o qual ele havia trazido o velho livro marrom, descascado e cheio de anotações. Tomou-o nas mãos, alisou e beijou a capa. *É chegada a hora, companheiro.* No fundo da bolsa em que levaria para o passeio a máquina fotográfica, documentos e guias, ele colocou seu amuleto da sorte.

Os três se arrumaram como para um evento de gala. As meninas de vestido, adornadas por acessórios adquiridos no mercado; Vinícius de chapéu creme e gravata violeta comprada no pequeno *shopping* do hotel. Então o interfone do *loft* soou e o *concierge* informou que o carro alugado já os esperava.

Quando os três passaram pela porta giratória e ganharam a rua, a limusine preta já ocupava boa parte da bela entrada do hotel. O motorista trajado a rigor, de terno, chapéu e luvas brancas, abriu a porta e sinalizou com a mão para que cada um ocupasse seu lugar. O sorriso das duas era de uma beleza doce, como se tragadas para dentro de um conto de fadas moderno. Até a estação de embarque no Tâmisa, Valentina e Vida foram com metade do corpo para fora do teto solar do enorme veículo.

Dentro do barco, as luzes da cidade se abriram pelo teto envidraçado e iluminaram o jantar saboreado com a fome e o cansaço de um dia inteiro de caminhadas e compras. O garçom foi solicitado algumas vezes para tirar fotos dos três. Vida fazia caretas, e a falta do dente embaixo tornava a cena hilária. Certamente, algum dia Vinícius também descreveria aquele momento num capítulo de um livro.

Em torno de uma hora após a saída, o barco deslizou em frente a uma grande construção antiga, branca, traços em cor de madeira e telhado de palha. Vinícius sabia muito bem o que era, mas perguntou à filha se ela o conhecia.

– Infelizmente, não.

– Licença para ser o guia por alguns momentos, então. Aquele é o The Shakespeare's Globe, a reconstrução fiel do teatro onde Shakespeare trabalhou e encenou seus maiores sucessos. É bem próximo de onde era o teatro original, destruído pelo fogo há mais de quatrocentos anos. Acharam as fundações depois de umas pesquisas arqueológicas e reconstruíram igualzinho.

Valentina olhava vidrada. Ele recitou:

– *Amor, quando é amor, não definha. E até o fim das eras há de aumentar. Mas, se o que eu digo for erro, e o meu engano for provado, então eu nunca terei escrito... Ou nunca ninguém terá amado.*

– Bonito. É seu? – Valentina perguntou.

– Não, não. Quem me dera! – Vinícius sorriu. – É de Shakespeare, o grande.

– Ano passado encenamos *Romeu e Julieta* na escola.

– Você foi a Julieta?

– Nada. Eu era a ama da Julieta. Papel secundário. Os papéis principais sempre são das meninas bonitas da classe.

– Pois eu duvido que haja uma menina mais bonita do que você na sua classe – Vinícius levantou o indicador.

Valentina deu de ombros.

– Papai, você acha que eu sou bonita? – Vida interveio.

– Você é a coisa mais linda e fofa do mundo! Mas o importante não é ser linda, e sim diferente. – Vinícius respirou com calma e jogou uma indireta. – Veja a Valentina, por exemplo. Ela é escritora. Isso, sim, é ser diferente.

– Escritora de um livro só – ela corrigiu, tentando, mais uma vez, negar o óbvio.

– Tá bom, senhora escritora de um livro só. Eu... Olha, posso fazer uma pergunta? Promete que não vai ficar chateada com o que essa pergunta vai revelar?

Valentina olhou desconfiada e assentiu com a cabeça.

– Você acha que o tempo é capaz de apagar a saudade?

Ela parou de se mexer, a boca semiaberta, no ar o garfo com um pedaço de bacalhau espetado. Mordeu o lábio, soltou o garfo sobre o prato e então disse:

– Você mexeu nas minhas coisas. Quem te deu esse direito?

– Não vamos brigar, por favor! Foi sem querer. Um dia eu entrei no seu quarto, o computador estava aberto. Eu não sabia que o texto era seu, achei instigante aquele "A saudade que o tempo é incapaz de apagar". Comecei a ler e então vi que você tinha escrito. Eu copiei e o li inteiro.

– Não era pra você ler. Se eu quisesse que você tivesse lido alguma coisa que escrevi, eu mesma teria mostrado.

– Por que sonegar a um pai uma parte importante da vida de sua filha?

– Porque eu... Porque... – Os olhos dela embotaram, a cabeça baixou, os cabelos longos tamparam o rosto.

– Valentina, eu quero que você saiba como fiquei orgulhoso com o que li. Você é muito boa, meu amor. – Ele afastou os cabelos dela, levantou com o dedo o queixo e olhou em seus olhos. – Não tenha medo de admitir que você sente necessidade de escrever.

– Eu não tenho necessidade de escrever.

– Tem sim, claro que tem! Você é parecida comigo. Aos dezesseis anos eu também senti essa necessidade, mas ela vinha cheia de raiva para combater as coisas que o seu avô me falava. Ele não admitia que eu gostasse de escrever, queria me forçar a tomar um rumo que era o sonho dele, não o meu. Se, como eu, você decidir escrever por conta da raiva de alguma coisa que eu fiz, que assim seja. Vá lá. Não perca isso! Mas saiba que, ao contrário do seu avô, eu desejo que você seja exatamente o que *você* quiser.

– Eu não quero ser escritora, porque ser escritor é seguir o caminho da solidão. Você não tem amigos, e eu quero ter um monte.

– Não me tome como exemplo acabado de escritor, filha. Estou tentando mostrar que justamente você pode aprender com meus erros e meus acertos.

– Você muito mais errou do que acertou.

– Literariamente eu mais acertei. Pessoalmente, mais errei. E com o jeito que você escreve, com a forma que encara as coisas do mundo e tendo a vida inteira pela frente, a chance de você acertar nos dois campos é enorme.

– E o que você teria pra me ensinar e que eu mesma não posso aprender sozinha?

– Você pode aprender *tudo* sozinha – Vinícius reforçou a palavra. – Eu fui um cego no meio de uma estrada que tive que percorrer sem a ajuda de ninguém. Dei muita cabeçada, tratei a literatura com a frieza de uma ciência exata. Mas você pode sofrer muito menos se alguém te ajudar.

– Pra quê?

– Se você aprender a usar as técnicas da escrita a serviço da paixão presente em suas frases, vai vender muito mais do que eu.

– E quem disse que eu quero vender mais do que você?

– Todo escritor quer ser lido.

– Não eu. Escrevo pra mim mesma.

– "Escrever para si mesmo" é uma desculpa ótima e válida, mas eu duvido que uma menina cheia de coisas para revelar ao mundo pense assim. É claro que você quer ver as pessoas se emocionarem com suas histórias, se imaginarem parte das cenas que você escreve, chorarem e rirem com suas frases. Senão, não passaria horas, dias, até meses debruçada sobre as suas personagens e tramas.

– Mas eu...

– Olha, não é vergonha pensar – Vinícius fez o sinal de aspas e revirou os olhos para cima. – "Comercialmente". O sucesso é muito bom.

– O sucesso traz infelicidade.

– Depende do que você chama de infelicidade. Pelo menos ele pode trazer tranquilidade financeira, e isso é um enorme passo para buscar o resto.

– A cigana dançarina de Granada não me parecia nada rica. E vive da arte, como ela mesma disse. Recusou o dinheiro que a gente quis dar. E ela parecia infeliz? Não pra mim, pra você ver como é possível ser feliz com pouco.

– A felicidade está dentro de você, concordo. Mas, em relação à literatura, o que estou querendo dizer é: desejar ter milhares ou milhões de leitores não vai necessariamente significar que você será um escritor menor. O mercado é um funil com a boca larga e uma saída minúscula. Pouquíssimos chegam lá, esteja onde estiver esse nebuloso "lá". A fama pode trazer infelicidade, se você não souber lidar com ela. Lembrando sempre, claro, que não se deve confundir sucesso com fama. Se tiver em seu coração a busca por esse sucesso capaz de realizá-la como pessoa, e não a busca da fama pela fama, vai estar no caminho certo e nada mais vai importar.

– Você buscou o quê, quando começou a escrever?

– Eu errei, filha. Busquei fama, dinheiro, acabei me prostituindo artisticamente. Nem tudo o que escrevi era o que eu queria escrever. Só com o tempo percebi haver algo mais importante. Mas aí já era tarde, o orgulho tinha tomado conta de mim, o público já esperava as coisas que eu escrevia.

– Então como você define o sucesso?

– Ter sucesso como escritor é poder contar coisas nas quais você acredita e saber que uma pessoa desconhecida, e que provavelmente você nunca vai conheceá pessoalmente, leu sua história e aquilo fez algum sentido para ela. Ponto. Agora, imagina se isso não acontecer com uma, mas com milhões de pessoas. Se a fama vier como decorrência disso, perfeito! Só que, nesse caso, você estaria imune aos efeitos nocivos dela e não seria solitária como eu.

– Papai, você é famoso? – Vida interveio, parecendo nunca se lembrar das perguntas que fazia.

– Depende. Você é minha fã?

– Sei lá.

– Então não sou famoso ainda. – Ele riu e passou a mão nos cabelos de Vida. Olhou para a mais velha e disse:

– Valentina, se você confiar em mim e esperar algum tipo de educação formal que eu não te dei até hoje, posso ensinar um pouco do que aprendi nos vinte e... – Ele olhou para cima e entortou a boca. – Vinte e três anos desde que um livro caiu nas minhas mãos e mudou o meu jeito de escrever.

– Mas, se a minha escrita é assim tão boa como você diz, não tá bom já?

– É boa, mas pode ficar excepcional. Seu texto é lindo, mas, ao mesmo tempo, caótico. Você pode aprender a reorganizar suas ideias, controlar seu mundo do jeito que quiser. Se tiver consciência disso, os seus leitores vão sentir necessidade de virar cada página. Necessidade!

Pelo jeito como Valentina retribuiu com o olhar, Vinícius sentiu que ela pareceu se interessar de verdade pelo tema. E ele aproveitou:

– Vamos fazer o seguinte: eu empresto pra você um livro que ganhei da minha professora, também aos dezesseis anos. Um livro que me ensinou muita coisa sobre a arte de escrever.

– Mas eu já li muitos livros, desde os clássicos na escola até os mais *pop*, os atuais vendedores de milhões no mundo todo. Acho que aprendi o bastante.

– E fez muito bem. Quanto mais você ler os grandes, mais vai aprender. Mas não é suficiente. É como dizer que provar um monte de comidas gostosas vai fazê-la uma cozinheira de mão cheia.

– Não sei.

– Façamos o seguinte. Eu empresto e, se você gostar, ele é seu. Se não, me devolve e a gente nunca mais fala nisso. Mas leia até o fim e então você decide se gostou ou não. Eu sei que você lê em inglês. Por que não?

Vinícius buscou o velho livro no fundo da bolsa e o entregou. Valentina murmurou:

– Por que não?

⏮ ⏭

Já quase meia-noite, no *loft*, Vinícius precisou despistar Valentina para acessar o *tablet*. Observou, pela fresta por debaixo da porta fechada do quarto da filha, que as luzes se apagaram. Quando Vida também apagou, ele fechou a porta de seu quarto e retirou o aparelho de dentro da mala.

Sua caixa de entrada já contabilizava mais de duzentos e-mails não lidos. Ele nunca ficava um dia sem responder as mensagens dos fãs, entrevistas ou contatos profissionais. Por quase dez dias, não havia aberto um e-mail sequer além dos de Bárbara e de seu contato inglês. Nem os de Salvatore, sempre com títulos chamativos para que Vinícius se interessasse. Decidiu que resolveria as questões profissionais apenas quando retornasse. Precisava, apenas, confirmar um encontro. Digitou, num inglês impecável:

Olá, minha querida. Tudo certo para depois de amanhã? Apenas relembrando: Angry Duck, 14h00. Um beijo.

Em seguida, correu os olhos para ver se Bárbara havia respondido e lá estava:

Sou obrigada a concordar que você jamais vai ter condições de competir com o amor de Valentina pela mãe. Tantas foram as vezes em que ela me escreveu contando sobre a admiração pelo ser humano, mãe, profissional e esposa que Viviana era. Quando ela me falava de você, as palavras sempre tinham ar de queixa por suas intermináveis ausências. Cada vez que ela voltava do hospital, a raiva aumentava. Ela achava que você deveria suspender a carreira para cuidar da esposa. Eu nunca critiquei porque, na minha opinião, em certa medida ela tinha muita razão. Mas quem sou eu para julgá-la ou aplaudir suas atitudes? Sou apenas uma confidente, uma mera observadora calada e distante. E, se me permite entrar um pouco na sua intimidade, posso perguntar o que você sentia exatamente por sua ex-esposa?

Vinícius nunca tinha se aberto para ninguém sobre o sentimento por Viviana, muito menos para uma desconhecida. Desde a morte da esposa, ele não havia parado para refletir sobre esse sentimento, numa fuga silenciosa de seus demônios mais escondidos. As mãos ficaram tamborilando as teclas, sem convicção do que deveria responder. Pensou muito e digitou:

Não tenho o costume de comentar com estranhos sobre meus sentimentos. Mas você já não é mais uma estranha, tenho a impressão de conhecê-la há muito tempo. O que eu sentia pela Viviana? Ela foi o grande, o maior, o único amor da minha vida. Nenhuma mulher teria sido tão perfeita para mim como ela foi. O tanto que me apoiou, que segurou a barra ao meu lado, que chorou minhas conquistas e derrotas, tudo isso jamais encontrarei novamente. E ela me deixou dois tesouros. Nesta viagem os tenho percebido muito mais valiosos do que eu mesmo imaginava. Por tudo isso, posso afirmar que jamais vou amar alguém como amei minha mulher. Daí você poderia me perguntar: então por que não fez diferente enquanto ela ainda estava viva? Esse foi o meu grande erro, o de não ter correspondido a tanto amor e deixar-me cegar pela carreira. Parece coisa do destino, como um professor que dá uma lição tardia quando já não há mais possibilidade de redenção. Por isso, agora, só posso honrar esse amor por meio de outro amor: o incondicional que tenho redescoberto por minhas duas filhas.

Dois minutos após enviar a mensagem, quando ele se preparava para dormir, a resposta chegou:

Isso significa dizer que você não está aberto a uma nova relação? E se, por hipótese, alguma mulher interessante, mais nova, aparecesse agora na sua vida? Como você reagiria?

E ele retornou:

Não penso nisso agora e nem digo que nunca. A alma dela hoje me preenche de tal forma que não há mesmo espaço para outra história num futuro próximo. Insubstituível, é a palavra que a define.

Vinícius não sabia se estava sendo duro, não sabia se havia algum interesse por parte de Bárbara. Mas precisava ser sincero, e foi.

Eu admiro você por isso. Sorte, foi o que Viviana teve na vida por encontrá-lo. Tenho certeza de que ela foi muito feliz ao seu lado.

Essa foi a resposta de Bárbara, seguida pelo desenho de uma carinha redonda, amarela e feliz.

m t g s h

37

No dia seguinte, o terceiro da viagem a Londres, Vinícius sentiu Valentina muito mais próxima. Sorridente, carinhosa, falante, cheia de ideias e planos para os passeios. Fizeram a *London Rock Tour* e, dentre inúmeros locais da história do rock na cidade, visitaram o Abbey Road, o lendário estúdio onde sua banda favorita gravou os maiores discos.

– Se a mamãe estivesse aqui, seríamos os "Fab4 – V" – Vinícius disse durante a travessia dos três sobre a faixa de pedestres que foi capa do penúltimo álbum dos Beatles.

– Esta aqui é a minha verdadeira Disneylândia – Valentina revelou.

– Papai, eu quero ir para a *minha* Disney. – Vida aproveitou a deixa para registrar, mais uma vez, sua indignação.

Vinícius parou na calçada, levantou o braço com o punho fechado e gritou:

– Pois na próxima viagem, custe o que custar, mesmo que chova pedra, canivete e cocô lá do céu, nós vamos para a Disney. Vamos abraçar o Pato Donald, o Mickey e a Tinker Bell!

– Cocô? – Valentina gargalhou.

– Sim, mesmo que chovam bolas de cocô, vamos dar chutes na bunda das bruxas, passear na nave do Buzz Lightyear e dar comida para o Snoopy!

– Quem é Snoopy? – Vida perguntou.

– Falha nossa! Não temos Snoopy na Disney! Mas vamos almoçar com as princesas, jantar com os príncipes e tomar café da manhã com os anões! Ninguém vai nos impedir! – ele gritou, apontando para o céu.

Os olhos de Vida brilharam.

Passaram a tarde no Hyde Park e na Trafalgar Square. Iniciaram a noite dentro da London Eye, para deleite de Vida, que passara o dia todo perguntando se faltava muito tempo para irem à roda-gigante.

Já no hotel, sentados na confortável poltrona da sala do *loft*, em frente à TV e com os pés sobre dois pufes de couro, Valentina disse:

– Obrigada por não ter me deixado desistir da viagem.

Ele sorriu e sentiu avistar o topo daquela parede de um quilômetro de altura que havia entre os dois.

m t g s h z

38

Vinícius levantou às oito da manhã, acendeu a luz do quarto de Valentina e anunciou, cutucando-a:

– Levanta, filha. É o nosso último dia de viagem e, conforme combinado, hoje eu sou o guia. Vamos fechar com chave de ouro.

– Qual é a boa? – ela perguntou, se espreguiçando.

– Hoje vamos terminar aquela aula sobre Shakespeare...

⏮ ⏭

A viagem de trem até Stratford-upon-Avon foi tranquila. Em duas horas, os três chegaram à cidadezinha natal do Bardo[1]. Caminharam pelas ruas, visitaram a casa em que Shakespeare nasceu e a casa em que ele morreu. Viram esculturas das principais personagens em um belo jardim, assistiram à representação de um ator de rua, recitando Hamlet e seu *ser ou não ser, eis a questão*. Tiraram fotos de tudo. Na The Shakespeare Bookshop, Vinícius deu a Valentina um livro de capa dura com a coletânea dos principais sonetos e, para Vida, um com ilustrações infantis das grandes peças.

Em outra livraria, Valentina comprou o último de Catherine Hess. Vinícius viu em uma prateleira lateral a versão em inglês de seu novo romance, que acabara de ser lançado simultaneamente no Brasil, nos Estados Unidos e em alguns países da Europa. Desviou a atenção das duas filhas e saiu da loja rapidamente. Preferiu nem comentar.

1. Bardo significa trovador ou poeta. Considerado o poeta nacional da Inglaterra, William Shakespeare é chamado de "o Bardo". (N.E.)

Na sequência, foram visitar a casa da mulher do Bardo, e Valentina ficou maluca ao descobrir que sua atriz favorita, com foto e tudo na parede do seu quarto, tinha o mesmo nome da Sra. Shakespeare. Quando os três se sentaram sob uma árvore e Vinícius contou a Vida a história de Romeu e Julieta, o interesse da pequena foi total. Valentina comentou com Vinícius:

– Simplicidade...

– Isso. O amor que não sucumbe às dificuldades; as forças antagônicas para impedir; o final trágico que ninguém espera, mas que reserva aos amantes a eternidade do sentimento. Tão antigo quanto a história humana, mas um escritor habilidoso consegue inovar sempre. Enquanto o mundo for mundo, todos vão amar histórias assim.

– Você não acha que todas as histórias já foram contadas e que tudo não passa de reinvenção da roda?

– Em essência, eu acho. Talvez você jamais vá encontrar uma ideia totalmente original, filha. Isso seria o Santo Graal do escritor, nossa eterna busca. Portanto, original deve ser a forma de contar a mesma história.

– Como assim?

Vida foi para o colo de Vinícius. Prestava atenção na conversa. Ele ficou acariciando os cabelos da pequena.

– Veja os romances de amor, do tipo que nós dois escrevemos. Um homem e uma mulher; um pai e um filho; uma família grande ou pequena; dois homens; duas mulheres. Sempre haverá uma relação, seja de um com um, de um com muitos ou de muitos com muitos. Em essência, as histórias responderão a três perguntas: como será a vida em comum deles, que sequência de fatos acontecerá para separá-los, e quais vão juntá-los outra vez, física ou emocionalmente?

– Mas não é tão simples assim. Tem tanta coisa a mais no meio.

– Sim, sim. Aí entra a habilidade do escritor. Que outros elementos estarão na história? Onde acontece? Quais as profissões das personagens, o jeito de cada uma, a linguagem, as dificuldades? A pergunta maior sempre tem que ser: como fazer o leitor amar a história a ponto de não querer jamais abandoná-la?

– Verdade. Hoje em dia as pessoas fecham e abrem livros com um clique. Eu mesma, se o livro não me interessar logo de cara, mudo para outro.

– Essa geração de vocês é fogo! É muita crueldade conosco, os pobres dos escritores. – Vinícius deu risada. – Precisamos ser bons o suficiente para, na primeira página, o leitor já desistir de partir para outro livro. Quanto antes a gente mostrar que vale a pena passar um tempo com a nossa história nas mãos e na cabeça, maiores as chances de o leitor virar nosso amigo e confidente silencioso.

– Como você constrói as suas personagens?

Finalmente, Vinícius sentiu que ele e Valentina falavam a mesma língua. A aposta de que a literatura seria o fio a amarrar com firmeza a relação pai-filha parecia se confirmar aos poucos.

– Hum... Eu tento seguir os passos de Shakespeare. Uma das grandes características dele era criar personagens fortes. Pessoas no mundo todo são capazes de citar uma série deles sem pensar muito para responder. Quando você criar uma personagem, dê a ela uma personalidade marcante. É um desafio gostoso esse de tentar fazer os leitores virarem a última página do seu livro envoltos em uma sensação de perda, de abandono e saudade das pessoas inventadas por você.

– Li uma frase um dia no Facebook. Ela dizia assim: *livro bom é aquele que, quando você termina, tem vontade de ficar amigo do escritor*.

– Salinger.

– Ele mesmo. Sabe, ontem à noite eu li bastante do livro que você me emprestou, aquele sobre as técnicas.

– E...?

– Não tirei ainda minhas conclusões. Não sei, achei difícil me conectar. Quanto mais eu lia, mais eu percebia que a forma como eu penso a literatura não tem nada a ver com aquilo.

– Não precisa fazer como eu, não há necessidade de tomá-lo como um manual absoluto. Mas, com sabedoria, você pode tirar proveito para a sua maneira de escrever.

– Prefiro não tolher minha maneira de escrever. Não fica chateado se eu devolver quando a gente voltar ao hotel?

Vinícius jamais imaginaria escutar aquilo. Como se tudo em que ele acreditava, sua religião e seus grandes mestres, fosse negado pelo sangue de seu sangue.

– Tudo bem. De repente você tem razão.

Valentina olhou para ele como se quisesse dizer algo difícil. Os lábios apertaram e ela finalmente passou por cima do orgulho:

– O que você achou do "A saudade que o tempo é incapaz de apagar"?

– Se você também me der a sua opinião sincera sobre o meu último livro... – Vinícius levantou uma sobrancelha.

– Eu digo, pode deixar.

– Achei o seu livro adorável, singelo, bem escrito – as palavras de Vinícius saíam embebidas em orgulho. – Duas reviravoltas inesperadas. Uma terceira previsível, mas aceitável. A jornada da protagonista, melhor que a do protagonista. Talvez pelo fato de você não conhecer tão bem o universo masculino. Com um pouco de suor, você organiza e o transforma numa história fortíssima. O mais importante: eu me emocionei. – Vinicius fez uma pausa, olhou em volta, tomando coragem. – E o meu? Qual a sua opinião?

– Como eu disse antes, os seus livros são perfeitos. Mas confesso que não li o novo. Não tive coragem nem de abrir aquela impressão que você me deu.

– Eram as provas da editora, únicas. – Vinícius fingiu desapontamento. – Não deu tempo de a sua mãe ler, infelizmente. Pelo menos você eu achei que tinha lido.

– Eu não queria dar de cara com uma história de amor cheia de emoções e saber que a mamãe estava daquele jeito. E ela não leu mesmo, as folhas ficaram lá, sobre o criado-mudo do quarto do hospital e... – Valentina suspirou, parecendo não querer aprofundar outra vez o tema. E retomou: – Fiz questão de não ler nenhuma resenha, crítica, matéria em blog ou jornal. Você tinha morrido para mim como escritor.

– Os autores de verdade têm a capacidade de fazer ressuscitar uma pessoa...

– Quando, e se, eu virar uma autora de verdade, talvez eu ressuscite você literariamente.

– Já diria Shakespeare: *guardar ressentimento é como tomar veneno e esperar que a outra pessoa morra.*

– Isso é fácil de dizer na boca da personagem de um livro.

– Podemos tentar esta, também dele: *não importa quão boa seja uma pessoa, ela vai feri-lo de vez em quando e você precisa perdoá-la por isso.*

– Perdoar também é fácil. O difícil é acreditar sinceramente nesse perdão.

– Se você tivesse lido o meu último livro, talvez isso ficasse menos difícil.

– Para perdoar, palavras de um livro podem ser pouco.

– E se eu dissesse que há uma personagem chamada Valentina lá dentro?

A filha arregalou os olhos. Vinícius continuou:

– E se eu também revelasse que há uma personagem chamada Vida?

– Eu, papai? – Vida perguntou.

– Tem outra?

– Você não está falando a verdade – Valentina comentou.

– Nunca menti para vocês e nem para a sua mãe.

– Por que não me contou antes?

– Veja como eu andava ausente. A Vida nem faz ideia do que é ter o nome num livro. E você... Bom, estávamos muito distantes ultimamente. Eu queria observar sua reação quando se visse retratada naquelas páginas.

– Desculpa não ter lido. – Valentina baixou os olhos.

– Você promete ler e depois, se tiver vontade, me dizer sua opinião?

Valentina, ainda de rosto abaixado, concordou.

Vinícius olhou para o relógio da praça, que marcava 13h45.

– Não sei vocês, mas eu estou morrendo de fome. Que tal um *pub* lá perto do centrinho? *Fish and chips*, como dizem por aqui. Peixinho empanado com batata, fadinha. Vamos?

– Vamos! – ela gritou.

⏮ ⏭

O Angry Duck era o típico *pub* inglês. Balcão de madeira, cadeiras altas, três ou quatro tiradores de cerveja, o sino para anunciar a última rodada da noite. No pequeno palco, ao fundo, um rapaz de cabelo tigelinha, franja no olho e jaqueta jeans tocava ao violão alguns clássicos do rock inglês. Vinícius deu seu nome para a *hostess*, que conferiu a reserva feita para quatro pessoas. Valentina olhou desconfiada.

– Você já tinha reservado? – ela perguntou.

– Aham.

– Quatro pessoas?

– Na verdade, eu já queria vir a Stratford antes de sairmos de São Paulo. É que eu marquei um encontro com uma pessoa daqui da cidade. Precisava encontrá-la de qualquer jeito.

Valentina fechou a cara no mesmo instante. Eles se sentaram, Vinícius retomou:

– Por que a brabeza?

– Não acredito que você tenha feito isso. É impossível mesmo ficar longe das suas coisas, né? E eu acreditando que você tinha decidido viajar com a gente pra mostrar que nós somos mais importantes do que a sua literatura.

– Mas vocês são.

– Então prova. Desmarca esse encontro, liga pro seu amigo e cancela. Quer dizer... Amigo, não. Contato, sei lá.

– Não posso, é importante. E nós não temos celular, esqueceu?

– Eu sabia. – Valentina amassou o guardanapo que estava dentro do prato. – Não mudou nada. Não viemos a esta cidade para falar de Shakespeare coisa nenhuma, né?

– Eu queria vir até aqui por conta deste encontro, mas ainda acho que foi maravilhoso termos respirado ares shakespearianos. – Vinícius baixou os olhos. – Prometo que não vai ser demorado.

– E eu e a Vida vamos ficar aqui ouvindo a sua conversa?

– Não seria má ideia, mas também pensei em você ir até o palco, pedir para o projeto de Noel Gallagher ali ceder uma canja e mostrar a música que fizemos para a mamãe.

– Nunca! – Valentina cruzou os braços e emburrou. Então, virou de costas, jogou a bola de guardanapo de volta sobre a mesa e se levantou.

– Vou ficar lá na pracinha.

Vinícius segurou o braço dela:

– Fica, por favor. Quero que você a conheça.

– É uma mulher?

– Sim.

– Você quer me apresentar uma mulher?

O vermelho do rosto de Valentina parecia resultado da mistura de duas colheres de ciúme, meio copo de raiva, batidos em um litro de indignação e servidos com uma pitada quase imperceptível de curiosidade e colorau.

– Olhe para a entrada do bar.

Valentina girou o corpo e olhou para a mulher na entrada do *pub*. Vinícius se levantou e acenou. Então, a bela loira de cabelos lisos na altura dos ombros, cintura fina e curvas definidas abriu um sorriso e caminhou em direção à mesa dos três.

Valentina ficou ainda mais vermelha, parecendo não se conformar com a presença da loira. Virou as costas.

– Não seja mal-educada, Valentina. Vire-se para cumprimentá-la.

Conforme a loira veio se aproximando, o semblante de Valentina foi mudando, parecendo não acreditar no que via. A mulher trazia nas mãos um exemplar em inglês do último livro de Vinícius.

– Eu... – Valentina engasgou, olhou para ele e perguntou: – Sério que...? Não acredito! – Tapou a mão com a boca, os olhos arregalados. – Vocês se conhecem?

Vinícius piscou para a filha.

– Mas como... Como você nunca me disse? – Valentina riu descontrolada.

– Eu estive ausente da vida de vocês por muito tempo.

A loira parou ao lado deles, deu um abraço apertado em Vinícius e, num inglês com sotaque refinado, disse:

– Que bom revê-lo! Quanto tempo!

– Pois é, quanto tempo... – Vinícius respondeu no inglês perfeito que exercitava desde a infância.

– E estas duas meninas lindas aqui?

Ele pegou Vida no colo:

– Esta aqui é a minha fadinha. O nome dela é "Vida". – Vinícius explicou que a tradução, em inglês, era *life*.

– Lindo nome para uma menina e para uma personagem. – A loira passou a mão na cabeça da menina, que não estava entendendo nada da conversa.

– E esta outra aqui é a Valentina. Aquela minha filha que vai ser uma escritora muito melhor do que eu. – Ele se virou para a filha e completou: – Valentina, gostaria de te apresentar a Catherine Hess.

Valentina parecia anestesiada. Arregalou os olhos e apertou a mão da escritora, seu maior ídolo. Não conseguia dizer nada, apenas sorria e balançava a cabeça lentamente.

Vida puxou Vinícius pela manga da camisa e sussurrou no ouvido dele:

– Papai, eu tô com fome! Quem é essa mulher?

– É uma amiga do papai e escreve livros lindos.

– Ela é famosa?

– Ah, esta daqui sim, é superfamosa.

Ela abriu um sorriso gigantesco, ficou olhando e alisando a mão de Catherine. Vinícius revelou à amiga as perguntas de Vida e os dois riram muito.

– Valentina, não deixe ele saber, senão vai ficar convencido. Mas este rapaz aqui tem o dom de escolher nomes perfeitos para as personagens.

– Eu... É... É?

– A Valentina e a Vida são as minhas personagens favoritas – Vinícius interveio.

– Pois eu trouxe o livro, que, a propósito, devorei em dois dias, justamente para pegar um autógrafo do autor e das duas personagens.

– É? Eu... Hum... – Valentina não tinha conseguido articular qualquer palavra, ainda que dominasse a língua inglesa.

Catherine entregou o livro a Vinícius, que pediu a caneta à *barmaid* e rabiscou a dedicatória. Em seguida, ela pediu para Valentina e Vida fazerem o mesmo. Valentina não conseguia parar de sorrir. Sua mão tremia como ela jamais tinha sentido. Vida desenhou um coração torto.

Pediram *fish and chips* e refrigerantes para as meninas, e o *Ploughman's*, a tábua com pão, cheddar, picles e cebola, para os adultos. Os dois brindaram com *bitters*, as cervejas escuras servidas na temperatura ambiente.

– Fiquei sabendo que estou diante de uma pedra preciosa bruta. – Catherine olhou para Valentina.

– Ah, é exagero dele. Nem tanto assim. Eu mal comecei, mas vou ser muito feliz caso vire uma escritora boa como você.

– Como eu? Como o seu pai! Ninguém escreve tão bem uma cena para chorar.

– Você chora com os livros dele?

-- Cada vez que este sacana aqui lança um livro eu já preparo as caixinhas de lenços.

– Menos, menos... – Vinícius riu. – Mas, sabe Cathy, esta escritora aqui, Valentina Coltelli, tem potencial para contar coisas bem mais profundas do que as que eu já escrevi.

– Ah, a juventude! Pena que nós acabamos virando dois velhos rabugentos. – Os dois brindaram. – Quem me dera ter a inocência, os sonhos, a vida inteira pela frente para recontar minhas histórias. Valentina, você tem sorte porque pode aprender dentro de casa um monte de coisas com este senhor aqui. – Bateu nas costas de Vinícius.

– Ele me deu um livro de escrita criativa. Você acha necessário aprender as técnicas para escrever direito?

– Livros, ah, os livros... Sempre os bons e velhos livros e manuais que pretendem ensinar a escrever! Como não amá-los e como não odiá-los? Minha resposta talvez seja... Talvez!

– Por quê? – O rosto de Valentina se iluminou, como se a resposta jogasse uma luz sobre suas convicções.

– Olha, há uma série de coisas que você pode fazer conscientemente numa história e que vai deixá-la poderosa. O grande segredo é deixar tudo escondido, sutil, quase imperceptível. São as pequenas conexões capazes de fortalecer sua história. Se você aprende a fazer isso por meio de manuais, ou se já traz naturalmente como um dom, tanto faz. O importante é o resultado final.

Vinícius pensou em intervir, mas deixou Valentina se deliciar com as palavras de seu maior espelho literário.

– E como essas técnicas poderiam ser úteis para a minha criatividade? – Valentina perguntou.

– Deixe-me pensar num exemplo bom... – Catherine olhou para cima. – Já sei. Sabe quando você coloca num aparelho comum um CD do Michael Jackson e fica maravilhada, com vontade de dançar, e não sabe o porquê de aquilo ser tão bom?

– Sei.

– O som vem como um martelo batendo no seu peito e as suas pernas parecem que se mexem involuntariamente? Pois bem, se você parar para analisar, aquilo não tem muita explicação. "Que som!", você pensa. Daí, certo dia, alguém te coloca para escutar a mesma música do Michael, mas num fone de ouvido excepcionalmente bom, daquele que joga todas as frequências de agudo, médio e grave no seu devido lugar. O que acontece?

– O som vem melhor ainda? – Valentina levantou uma sobrancelha.

– Sim, mas é algo ainda maior, é a revelação de uma mágica. Se você fechar os olhos, vai escutar uma infinidade de detalhes plantados pelo produtor musical com a intenção de deixar a música enorme. Você conhece um pouco de música?

– Sim.

– Esse produtor musical pega o bumbo da bateria e coloca em estéreo. Daí, ele abre um efeito na caixa. No refrão, planta um sininho que fica lá no fundo junto da voz. – Catherine ia falando e gesticulando, como um produtor em frente à mesa de som. – Em seguida, dobra as guitarras também em estéreo e insere um *delay* sutil no baixo. Joga por baixo o dedilhado quase imperceptível de um violão, trabalha exaustivamente os *backing vocals*. O ouvinte comum não percebe, mas todos esses efeitos estão lá a serviço da história contada pela música. Pensando em um livro, seria como se você o inserisse em um microscópio potente, fosse até o DNA da história e o alterasse até o resultado final ficar perfeito.

– Mas o Michael Jackson, por si só, já era um gênio. Se ele não fosse tão bom, se não tivesse a originalidade de compor as coisas lá no quarto dele, sozinho, não teria produtor no mundo pra dar jeito.

– Colocação perfeita. Voltando aos livros, o editor não vai fazer milagre se o autor não contribuir com sua criatividade. Contar uma boa história é muito difícil, e na mesma medida é encontrar o tempero que vai dar o sabor diferente a essa história. E não estou falando necessariamente do fato de o editor ser alguém totalmente fora do processo de escrita. Você mesma, a autora que conhece o universo criado, pode fazer esse papel. Os maiores e melhores escritores já chegam com o livro praticamente pronto, necessitando apenas de poucos retoques, e sabem, no fundo da alma, que contaram histórias poderosas.

– O exemplo do Michael é bom, mas... E os Ramones, que fizeram músicas de três acordes, totalmente cruas e simples? A emoção não era a mesma e o DNA, o mais básico impossível?

Catherine olhou para Vinícius, apontou para Valentina e comentou:

– Essa menina é boa.

Vinícius respondeu com um sorriso:

– Eu falei...

– Você tem razão, é tão bom quanto – Catherine retomou. – Mas o produtor daqueles discos sabia o que os Ramones queriam dizer e também que o público deles pedia aquelas coisas viscerais. Não se engane. A forma como foi composta e gravada também foi muito bem pensada.

– Então você acha a técnica mais importante do que a emoção?

– Há uma frase bem bacana sobre isso: *Se soar como escrita, reescreva.* O que significa? Que é prudente você reescrever as cenas e os diálogos até ficarem perfeitos. Trabalhar cada detalhe, porque nada é de graça. Você deve tentar fazer a emoção verdadeira não soar como algo planejado.

– Mas não estamos enganando o leitor? Ele pode achar que o autor estava em êxtase no momento da escrita.

– E quem disse que nós, escritores, não podemos nos emocionar quando escrevemos cenas mais profundas? Muitas vezes eu chego a chorar com as minhas personagens. Mas a literatura é o que chamam de "a arte de reescrever". Depois de um tempo, quando vai revisar, distante da emoção do momento criativo, você reordena as palavras, insere um ponto, acrescenta um diálogo, tira uma frase, melhora aquilo. Ou seja, você lapida com calma para deixar a emoção, que existiu, sim, ainda mais forte para o leitor. De repente você até se emociona novamente, por que não?

– Tenho medo de perder a espontaneidade.

– Esse idealismo é bonito e é próprio dos jovens, e você está certa em ter medo de perdê-lo. Mas não vai ser por ter consciência plena das suas limitações e potencialidades que isso vai acontecer. Admiro sua perseverança em se entregar ao texto. Se assim for, que seja com a alma. O importante é você colocar fogo entre as palavras, e não nas palavras.

– Como assim?

– O fogo deve estar nas coisas que você *não* diz, não nas que você diz diretamente. Vou reformular aquela frase: a literatura é "a arte de suprimir". Seja simples, e você vai atingir o coração do leitor.

– Simplicidade... – Valentina disse, olhando para Vinícius, que sorriu de volta com a satisfação do pai que havia ensinado alguma coisa útil.

O *barman* fez um sinal para Catherine. Ela anunciou para os três:

– O *landlord* aqui é meu amigo. Eu disse que vocês viriam e ele pediu para tirar uma foto de nós quatro para colocar naquela parede ali, junto com os famosos que já vieram aqui. Se vocês não tiverem problema em ficar ao lado de Hemingway, Martin Amis, Anne Tyler...

– Vida, você quer ficar famosa? – Vinícius dirigiu-se à pequena, que apresentava o semblante entediado por não compreender uma vírgula da conversa.

– Eu quero, eu quero.

Depois da foto, o almoço chegou e eles comeram em paz.

– Tenho uma frase sua na parede do meu quarto – Valentina revelou a Catherine.

– E qual é?

– Aquela do sol e das nuvens.

– Qual a sua opinião sobre ela?

– Gosto da ideia de saber que a forma como enxergamos as coisas é fruto do tanto que a gente aprendeu até ali. De não existir o certo e o errado, apenas o que se apresenta aos olhos de cada um. As gerações veem de forma diferente as mesmas coisas, e, como diz o velho sábio, enquanto cada um cumprir o papel que lhe cabe, todo mundo terá razão.

– Você acha que foi isso o que eu quis dizer?

– Sim.

– Então você está 100% correta – Catherine Hess piscou e levantou sua *bitter*.

Depois de pedir para Catherine autografar o exemplar do último livro da autora, comprado na mesma manhã, Valentina pediu licença, foi até o cantor e falou algumas palavras. Vinícius olhava de longe e então percebeu o que ela faria. Prontamente, tirou a máquina fotográfica do bolso e correu para perto da filha. Quando a menina se sentou no banco alto, empunhou o violão e posicionou o microfone, ele começou a filmar. Ela, então, cantou a música que a Família V compusera para Viviana. Vinícius se aproximou da caixa de som para captar o melhor da voz e, conforme ela cantava a perfeita melodia, com a letra doce como o chocolate rimado com "bate", ele foi se emocionando.

No fim do encontro, Vinícius agradeceu a Catherine:

– Obrigado por tudo, minha amiga.

– Eu que agradeço por você ter vindo me visitar e por ter me apresentado a estas duas fofuras.

– Obrigada, Catherine. – Os olhos de Valentina ainda brilhavam.

– Se eu puder te dar um último conselho, Valentina Coltelli, aposte no bom e velho *Mostre, não conte*. Não diga ao leitor o que ele tem que sentir. Mostre a cena e, se você for suficientemente habilidosa, ele vai sentir por conta própria. Esse sentimento vai se impregnar no seu leitor e então você o terá conquistado para sempre.

– Não vou esquecer, prometo.

– E quero receber o seu livro de presente, se você decidir mesmo virar escritora. No estilo Michael Jackson ou Ramones, sei que a sua escolha vai me emocionar – Catherine sorriu.

– Já está reservado.

a m t g r s e h z

39

Aeroporto de Heathrow lotado. O painel registrava atraso no voo. A atendente da companhia aérea havia informado que a partida para São Paulo, inicialmente marcada para as 23h15, não tinha ainda previsão de saída devido a problemas técnicos no avião. Vinícius e as filhas rodaram quase o terminal inteiro e não acharam lugar para sentar. A solução para o problema colocou um sorriso no rosto de Vida:

– Que tal um McDonald's, para passarmos o tempo?

– Mas... E o furo na bunda? – a pequena quis saber.

– Pois que as nossas bundas hoje sejam furadas sem piedade! – Vinícius levantou o indicador e olhou para o infinito.

Valentina soltou uma gargalhada.

Após a extravagância de sanduíche, batata frita, refrigerante, torta de maçã e *sundae*, localizaram um canto entre uma parede de concreto e outra de vidro e metal, com vista para o pátio de aviões. Sentaram no chão, ao redor das malas. Vida ficou entretida no brinquedinho da Hello Kitty e Valentina foi dar uma volta entre as lojinhas. Vinícius encostou-se à mala de couro comprada em Camden Market, apoiou os pés sobre o *case* do violão de Valentina e passou a folhear o livro de Catherine Hess.

Em dez ou quinze minutos, ele sentiu uma cutucada. Um livro e uma caneta surgiram por trás do seu ombro. Virou-se e, para sua surpresa, Valentina estava ali, estática, braços esticados em direção a ele.

– Um autógrafo? – ela pediu.

Ele pegou o livro intitulado *The Machine* das mãos dela, tomado por um sorriso aberto.

– Sim, claro! Qual o nome da senhorita?

– Valentina Becker.

Os dois então se olharam por alguns segundos. Vinícius segurou as lágrimas e balançou afirmativamente a cabeça, em silêncio. Escreveu:

Para a linda Valentina Becker, que tem o mesmo nome da personagem principal. Um beijo de seu fã incondicional, Vinícius Becker.

Abraçaram-se. Abraço apertado, demorado, silencioso. A mão dele foi para os cabelos dela, os dois se olharam fundo e voltaram a se abraçar. Dispensaram palavras.

Valentina encostou-se à parede e desdobrou duas folhas que havia trazido do McDonald's, das que iam sobre as bandejas e com a cara do palhaço. Apoiou-as sobre o livro do pai e, no verso, começou a escrever. Vinícius retornou ao livro da amiga, Vida continuava fixada no brinquedinho. O painel de partida dos voos indicava *delayed*, sem sinalização de que o tempo para mudar de *status* seria longo ou curto. Uma espera que em nada incomodava a família V, amontoada sobre malas e na certeza de que voltaria para a realidade de uma vida que, enfim, seguiria em paz.

Vinte minutos depois, Valentina jogou no colo do pai as duas folhas, totalmente preenchidas por palavras.

– O que é isso? – ele perguntou.

– Um conto. Acabei de escrever. Sobre a viagem.

– Mas já?

– Teria que ser demorado?

– Não é fácil sentar assim, em um lugar barulhento e cheio de distrações, e produzir um texto...

Uma bela história, quatro minúsculos capítulos, um para cada um dos países da viagem: Brasil, Itália, Espanha e Inglaterra. Com um poder de síntese absurdo, instigante e bem escrito, contava a jornada de um pai e suas duas filhas em busca do amor verdadeiro. O cenário de encerramento era o chão do aeroporto, e a cena final trazia o pai lendo o texto da filha.

Quando finalizou a leitura, Vinícius dobrou as folhas e, orgulhoso, devolveu-as para Valentina.

– A prova definitiva, para mim, da beleza do caos. – Abriu sua mala e, do meio dela, retirou o livro marrom e descascado. Olhou para Vida e pediu: – Fadinha, você quer fazer um favor para o papai?

– Quero.

– Vá até aquela cadeira vazia ali, entre aqueles dois senhores, e deixe este livro lá.

– Sério que você vai fazer isso? – Valentina franziu a testa.

– Já ouviu falar em *BookCrossing*, Livro Livre, essas coisas?

– Já, mas... É o seu livro favorito.

– Tudo o que eu precisava aprender, já aprendi nesta viagem. E, se você um dia precisar de técnica, com certeza saberá onde procurar as respostas.

Vida então foi até a cadeira e "esqueceu para sempre" o amuleto da sorte do seu pai.

PARTE III

40

O voo de retorno a São Paulo foi tranquilo. Vida assistiu aos mesmos desenhos do voo de ida e deu risada outra vez das mesmas partes. Vinícius veio mais dormindo do que ligado em filmes. Valentina começou a ler a versão em inglês do novo romance do pai.

⏮ ⏭

Quando Arnaldo estacionou o Volvo na porta de casa, as duas meninas desceram correndo e foram abraçar dona Lourdes, que os esperava com um sorriso aberto.

– Saudade das minhas pequenas!

– Ficamos com saudade também, Lourdes. E a casa, tudo em ordem?

– Ah, um casarão destes em silêncio é muito triste, seu Vinícius. Feliz por ter vocês de volta.

A mansão parecia diferente, ou então o olhar de Vinícius sobre ela havia mudado. Antes da viagem, a impressão era a de que faltava cor àquelas paredes, que os ambientes andavam escuros, calados demais e sofrendo, como se membros da família fossem, a perda de sua criadora. Agora, a certeza de que a alma de Viviana continuava impregnada em cada parede, porta, coluna, viga e janela.

– O senhor vai voltar para a suíte principal?

– Ainda não, Lourdes. Vou passar mais tempo no quarto de hóspedes. Não sei se já estou preparado.

– Não mexi em nada, continua do jeito que o senhor me pediu. Só dei uma limpada todos os dias.

– Não sei o que seria de nós sem você.

– Parece que a viagem fez bem à Valentina. A menina está com uma cara ótima. Percebeu que ela entrou no quarto e não fechou a porta? Que milagre o senhor fez?

– O milagre foram elas que fizeram comigo...

⏮ ⏭

No início da noite, Vinícius subiu até o escritório. Conectou a máquina fotográfica ao computador e baixou os arquivos da viagem. Selecionou o vídeo de Valentina cantando no *pub* e anexou a um e-mail. Enviou e, no mesmo instante, pegou o celular e telefonou para o destinatário:

– Vinícius Becker! – a voz veio do outro lado da linha.

– Fala, meu chapa. Tranquilo? Como anda o estúdio?

– Cheio, como sempre. Que bons ventos o trazem?

– Seguinte, preciso de um favor. Acabei de mandar um vídeo pra você. Veja se já chegou.

– Peraí... Sim, chegou.

– Abre aí.

– Abrindo... Hum... Muito bacana. Quem é?

– Minha filha. É possível extrair a música?

– Hoje em dia tudo é possível. Como você deseja?

– Que fique bom para dançar, emocionante, belo. Confio na sua experiência de produtor.

– Deixa comigo. Prazo?

– O mais rápido possível.

– Vai custar.

– Só mandar o número da conta junto com o arquivo final.

Em seguida, Vinícius digitou uma mensagem para o endereço "bcv.88@gmail.com":

Bárbara, nós já retornamos ao Brasil e eu gostaria de agradecer por ter me acompanhado de longe na jornada com minhas filhas. Ter alguém com quem me abrir foi realmente gratificante. Espero que algum dia você possa combinar com a Valentina uma visita à minha casa. Peço, novamente, que não comente jamais com ela sobre nossa troca de e-mails. A você, meus eternos agradecimentos.

41

Vinícius havia feito uma promessa para logo que voltassem de viagem. Pois na manhã seguinte ele telefonou para a diretora da escola de Valentina e relembrou-a do combinado.

– Pode ser hoje no fim da tarde? – a voz da diretora mostrava que ela estava em êxtase.

– Fechado – ele respondeu.

⏮ ⏭

Após o almoço, o celular apontou uma mensagem: "*A música já ficou pronta, está no seu e-mail. Ouça lá e qualquer coisa me diga*". Vinícius correu, abriu e escutou. Dançante, sobre uma batida gostosa e densa. Perfeita! O baixo marcando a linha, efeitos que amaciaram a voz da filha. Belo trabalho de produção. Lembrou-se da lição sobre Michael Jackson, dada pela professora Catherine Hess.

Decidiu retomar a vida profissional e começar a esboçar o décimo primeiro livro. As coisas tomavam o caminho da normalidade e ele não poderia se esquecer de que ainda existiam carreira, fãs, compromissos, contratos com a editora. Tinha muita coisa a dizer, muita coisa *nova* a dizer. E já tinha a história toda na cabeça.

Criou um documento em branco e o salvou como "Novo Projeto – Livro 11". Abriu a planilha do esquema para montar personagens, cenas, partes, conflitos e salvou com o mesmo nome. A meta de sempre: 1.200 palavras por dia. Carregou o arquivo do esqueleto de macroprocessos inerentes a uma história de sucesso: o mundo comum, as travessias dos limiares, os aliados, testes, vales, conflitos. A jornada completa esquematizada, ponto de partida de mais um *best-seller*.

Então Vinícius parou. Os olhos se fixaram naquilo tudo. *Uma jornada é percorrida para que, ao fim dela, o herói volte modificado*, ele repetiu na mente o clichê. Imediatamente fechou todos os documentos, abriu apenas uma tela em branco e salvou como "Nova História". Nunca mais "Projeto", não mais esquemas e esqueletos, não mais planilhas. Clicou na música que ele e as filhas fizeram, marcou a opção de execução repetida. Se Vinícius havia aprendido alguma coisa na viagem, era em suas histórias que ele iria consagrar. *Você é capaz de amar, sim, e de colocar no papel um pouco deste amor*, ele pensou. Ao som da bela canção, as 1.200 palavras foram se transformando em 1.500, 2.000, 4.000. Quando se deu conta, havia escrito tantas cenas boas que, enfim, começou a entender o verdadeiro sentido de como a filha acreditava que deveria agir um escritor. A partir dali, o foco não mais seria vender milhões. Ele havia se tornado famoso para as duas filhas, e nada mais tinha tanta importância.

⏮ ⏭

Às quatro horas, Vinícius começou a se arrumar. Puxou do armário o terno preto, a gravata azul-marinho, o cinto e o par de sapatos mais chique e reluzente. Passou gel no cabelo, que penteou para trás. Borrifou o melhor perfume e desceu as escadas.

– Arnaldo, deixa comigo – ele gritou.

Quando o relógio bateu quatro e meia da tarde, Vinícius estacionou o carro, estufou o peito e foi caminhando a passos largos. Vida estava com a turma numa roda, onde as crianças cantavam. Ele parou na porta da sala com os dois punhos fechados na cintura e ficou aguardando a filha notar sua presença. Quando ela se virou, o sorriso do dente faltando veio lindo como ele nunca tinha visto.

– Papaiiiii! – A pequena correu e pulou no colo dele.

Vinícius entrou na sala e, sem pedir licença para a professora, se juntou à roda de crianças.

– Quem é a Lulu? Quem é a Lalá? Quem é a Ingrid?

As três levantaram os braços, olhos arregalados. Ele continuou, esfregando a mão no queixo.

– Bom, muito bom...

– Esse aqui é o meu pai. Ele trabalha. – Vida apertou a bochecha de Vinícius e ficou alisando o seu terno.

– Pois é. Eu trabalho e não é pouco. Filha, vamos embora porque o papai tem que trabalhar o trabalho de um trabalhador dos grandes trabalhos de todos os infinitos dos universos trabalhísticos: vou trabalhar uma linda história de amor.

Ele pegou a mochilinha, colocou a filha nos ombros e saiu andando de costas. Fez um "V" com o indicador e o médio, apontou para os próprios olhos e depois para os olhos das três. As pequenas não falaram nada, estáticas assim como a professora. Vida grudada na cabeça dele, sorrindo.

Vinícius dirigiu até em casa e entregou a filha a dona Lourdes. Precisava cumprir outra promessa. Durante o trajeto até a escola de Valentina, ele tirou o paletó e a gravata. Dobrou as mangas da camisa até a altura dos cotovelos. Esfregou as mãos nos cabelos, para dar uma arrepiada. Estacionou em frente à escola, olhou-se no espelho interno do veículo e disse a si mesmo:

– Vamos lá, Vinícius Becker.

A diretora já o esperava, e ele entrou pela lateral. Foi até a sala da diretoria e lá combinaram como seria.

– Ninguém aqui sabia que o senhor era pai de uma aluna.

– Sabe como são os jovens, né? A Valentina entrou este ano, talvez não tenha tido oportunidade ainda, ou não tenha sentido necessidade de contar, sei lá. De mais a mais, sou apenas um trabalhador como outro qualquer.

– É uma honra para a escola tê-lo aqui.

Em pouco tempo, a coordenadora entrou e informou que os alunos já estavam prontos. Os três se dirigiram para o auditório lotado, a diretora subiu no palco. Por trás dos bastidores, o coração de Vinícius batia como nas primeiras apresentações do início da carreira, sensação relegada ao fundo da memória pelo tempo e pela experiência. Então, a diretora anunciou:

– Queridos alunos. É com imensa alegria que eu tenho o prazer de anunciar a presença de um ilustre convidado. Todo mundo aqui já ouviu falar dele e, provavelmente, muitos de vocês já leram os seus livros. Pois ele veio aqui para nos presentear com uma palestra.

O silêncio era absoluto. A diretora completou:

– Deem as boas-vindas, com uma salva de palmas, ao grande escritor Vinícius Becker.

O pano se abriu e, ao som de *Start me Up*, dos Stones, ele entrou meio caminhando, meio dançando, sob aplausos e gritos efusivos dos adolescentes. Luzes no palco, plateia no escuro. Algumas meninas gritaram histéricas, ele cumprimentou com acenos. Sentou em uma das duas cadeiras no meio do palco, a coordenadora sentou na outra. Cada um com um microfone na mão.

Vinícius tentou localizar Valentina e, após responder à primeira pergunta sobre o início da carreira, conseguiu achá-la no canto superior direito, próxima à porta de saída, com os olhos arregalados e o semblante tenso. As questões que se sucederam disseram respeito a sucesso, fama, como publicar, como escrever, como procurar editora. A cada nova pergunta ele percebia a filha afundar mais na cadeira, parecendo tomada pelo pavor de ser citada como exemplo de qualquer coisa. Até que, após quase uma hora, a diretora anunciou a última pergunta. Uma dezena de alunos levantou as mãos, e ela apontou para a primeira fila. O menino soltou uma das perguntas mais comuns nas entrevistas:

– Você se inspira nos conhecidos, amigos e familiares para criar as personagens?

Ele olhou para Valentina por alguns segundos. Respirou lentamente e começou:

– Antes de responder, como esta é a última de hoje, eu queria dizer que não há idade para começar a escrever. Aqui, entre vocês, há uma escritora muito...

Valentina levantou com a mochila, virou as costas e saiu correndo do auditório. Ele ameaçou levantar e correr atrás dela, mas se segurou e, semblante entristecido pelo fato de a filha não presenciar a resposta, reformulou a frase:

– Quero dizer, certamente há escritoras e escritores em potencial aqui nesta escola. Se algum dia vocês escreverem algo que não seja o que o "Sistema" impõe como padrão, não se envergonhem de mostrar. Eu fiz isso uma vez quando tinha a idade de vocês e, não fosse uma professora maravilhosa, como certamente vocês têm aqui na escola, eu teria desistido. Em relação à pergunta do rapaz aqui embaixo, eu mentia para os jornalistas dizendo que a inspiração vinha dos meus amigos, familiares, das minhas filhas. Na verdade, eu sempre inventei tudo, fui um escritor frio, metódico, sistemático e cheio de técnicas. Mas aprendi com a minha filha, da idade de vocês, que o amor vai muito além de carreira, vender, querer ser famoso. Nunca mais escrevo sobre alguma coisa que eu não conheça de verdade. E, hoje, minha família é, sim, a minha maior inspiração.

⏮ ⏭

Depois de incontáveis autógrafos em camisas e cadernos, e de passar a frequentar os bancos de imagens dos celulares de quase todos os alunos, Vinícius voltou para casa. A porta do quarto de Valentina estava novamente trancada. Ele bateu, ela não respondeu, ele desistiu de bater pela segunda vez. Arrastou-se para o terraço, paletó nos ombros e costas curvadas. Sensação de a relação com a filha ter retrocedido e voltado à estrada rumo ao fracasso.

O *notebook* passou a tocar canções com a cara e o jeito de Viviana. Abriu um vinho, ficou em silêncio. Céu estrelado, luzes apagadas, claridade a cargo da lua cheia.

Valentina entrou pisando firme e Vinícius se assustou.

– O que foi aquilo hoje lá na minha escola? Você queria aparecer, foi isso? Queria me expor na frente de todo mundo? – ela gritou.

– Você não tem mesmo orgulho de mim... – Vinícius respondeu com a voz embargada, olhando para o chão.

– Não quero que as pessoas gostem de mim porque eu sou filha de uma pessoa famosa.

– Você por acaso acha que eu fui lá para te fazer popular?

– Se você quer saber, já que pelo visto não aprendeu a me conhecer, eu sou igualzinha a você: não tenho amigas. Todas as vezes que eu disse que estava com elas, era mentira. Não sei por quê, mas não me sinto parte das coisas que as outras meninas acreditam. Elas não leem os livros, não escutam as músicas, não se apaixonam pelos filmes, não enxergam o mundo como eu o leio, escuto, enxergo e assisto. Então eu nunca contei nada das minhas coisas pra ninguém. Não é pra saberem lá que eu sou sua filha. É muito difícil entender ou prefere que eu desenhe?

– Porra, eu nunca vou conseguir de você um crédito de confiança? – Vinícius passou a mão nos cabelos. – O que mais eu posso fazer por você e pela sua irmã?

– Essa viagem foi uma mentira. Não precisávamos ter ido até Florença, Málaga ou Londres pra descobrir coisas que deveriam estar dentro de nós mesmos.

– Eu sei. Por isso você é tão diferente, porque diz coisas assim. Mas eu tentei trazer você e a Vida para perto de mim, só isso.

– Pois não adiantou nada. Você voltou igualzinho. Largou tudo e voltou pro seu mundinho de celebridade. Tentou nos comprar, mas, se quer saber bem, pelo menos a mim não conseguiu. Toda lição não serve de nada se você não aplica na sua própria vida.

Vinícius se levantou, estufou o peito, ofegante. Caminhou em passos rápidos até ela, cerrou os punhos.

– Você quer saber exatamente o que eu fiz este tempo todo? Pois então senta aqui. – Ele a puxou pelo braço e a colocou à força na cadeira. – Eu coloquei você no mundo e agora você vai me ouvir de uma vez por todas, queira ou não.

Valentina soltou os braços de forma violenta:

– EU NÃO QUERO SABER DE MAIS NADA E...

Vinícius passou a gritar o que estava engasgado desde o início, ignorando as palavras da filha:

– No dia em que eu vi sem querer o seu livro, assisti também ao vídeo da entrevista com a sua mãe. Aquele sobre os desejos e sonhos dela. Pois eu me senti o pior homem do mundo naquele dia, e sabe por quê? Porque eu não consegui realizar o sexto e último desejo dela. Eu não estive com você e com a Vida ao lado dela. Não segurei a mão, não chorei junto, como você mesma me disse que eu deveria ter feito. A Família V, o grande amor da sua mãe, não estava completa ali. Assistir ao vídeo, a Vivi morrendo fraca, parecendo um esqueleto vivo e, ainda assim, transbordando um amor que nunca vi brotar do peito de ninguém, me fez refletir sobre o quanto eu fui egoísta, escroto, filho da puta, sacana e miserável.

– E o que isso teve a ver com a viagem?

– Tudo a ver, se é que você não percebeu.

– Pois eu não faço ideia, e não estou com a menor vontade de...

– Desejo um: qual coisa você mais ama fazer? Não negue o óbvio, não para mim, que conheço você como ninguém.

Valentina arregalou os olhos, parecendo enfim entender tudo. As lágrimas passaram a descer incontroláveis.

– A coisa que mais amo fazer é... – ela baixou a voz. – Escrever.

– Desejo dois: qual coisa a Vida mais ama no mundo?

– Sorvete.

– Desejo três: de onde era a sua bisavó, qual era o cheiro dela, como ela dançava? O que poderia ser feito para relembrá-la? Diz pra mim.

– A cigana me disse que eu tenho sangue cigano e... A bisa era da Andaluzia? Eu não sabia.

Vida chegou ao terraço e começou a acompanhar, de longe, a conversa entre os dois.

– Você, a Vida e a sua mãe têm o sangue espanhol correndo nas veias. O campo de girassóis foi o mais perto do que poderia talvez ser o cheiro de flores do campo de que a Viviana sentia saudade. – Vinícius começou a chorar. – A cidade onde se toma o melhor sorvete do mundo é Florença. Levei você para conhecer o seu maior ídolo na literatura.

Os olhos de Valentina brilhavam, ela sorria e chorava com as mãos na boca.

– Desejo quatro: não fui hoje à sua escola para expor você na frente de todo mundo, muito menos para ridicularizar você ou qualquer palavra parecida. Não teve nada a ver com a vontade de dar uma lição. Fui para tentar sentir, junto da minha filha que também ama escrever, o que a mamãe queria ter sentido quando desejou ter falado mais sobre as coisas nas quais ela acreditava. E, se você quer saber, eu acredito demais nas minhas coisas, nos meus textos, na forma como eu passei a enxergar a vida desde quando você me ensinou o que é o verdadeiro amor por uma pessoa. Eu sou, sim, capaz de amar! E, quantas vezes puder escrever ou falar sobre isso, eu vou fazer.

– Meu Deus, eu não tinha percebido!

– E quer saber mais? Fiz tudo isso para resgatar vocês. Saí de São Paulo me achando o gostoso, sim, certo de que arrebentaria na viagem ao mostrar o pai "perfeito" que eu me considerava. Mas aconteceu justamente o contrário: percebi que eu era um merda, e vocês duas me ensinaram tudo o que anos e anos de pesquisa para os livros foram incapazes de conseguir. E a sua mãe, mais uma vez, espalhou o amor que só ela tinha. Mesmo sem estar presente fisicamente, ela me ensinou que nós três poderíamos voltar a ser uma família de verdade. E me dói, mas me dói com todas as forças, não tê-la aqui pra me ajoelhar e pedir perdão por não ter percebido a tempo como eu era infeliz.

– Foi tudo perfeito, nossa! Cada detalhe da viagem. Só agora eu percebi e...

Vinícius, ofegante, decidiu abrir o jogo de uma vez:

– Não foi perfeito nada, filha. Preciso revelar uma coisa que não posso esconder mais de você. – Ele começou a andar em círculos. – Talvez você vá me odiar, mas, se é pra ser assim, que seja de forma completa.

– O quê?

Vinícius baixou a voz, o semblante tenso, e começou a falar:

– Naquele dia em que assisti ao vídeo, também peguei um e-mail seu para a sua amiga Bárbara. Durante esse tempo todo eu me correspondi com ela. Por meio dela eu conheci muitas coisas sobre você. Se na viagem eu fiz coisas "surpreendentes", foi porque eu tinha informações privilegiadas. Se quiser me odiar, vá em frente. Mas não a odeie, porque você me disse que não tem amigas e ela pode, sim, ser uma grande amiga. Ela não tem culpa de nada, e conhece você como ninguém neste mundo.

Valentina colocou a mão no rosto e balbuciou:

– Eu também aprendi a conhecê-lo melhor através dela.

Vinícius ficou imóvel. Olharam-se por algum tempo, ela levantou uma sobrancelha. Ele retomou:

– Ela contou pra você? Eu sabia! – Ele deu um soco na mão esquerda. – Ela prometeu que...

– Eu soube de tudo desde o início.

– Mas, como...?

Valentina respirou com calma e a voz saiu quase inaudível.

– A Bárbara não existe. Nunca existiu.

– Como assim? – Vinícius foi sentando e balançando a cabeça, enquanto perguntava outra vez: – Como assim?

– Aquilo é o meu diário. – As lágrimas voltaram a descer. – Escrevo pra mim mesma, como se eu fosse outra pessoa. Nunca existiu Bárbara, não existe outra pessoa. Eu criei uma conta imaginária de e-mail. Em vez de "Querido Diário", como faziam antigamente, eu dizia "Querida Amiga". Nada mais.

– Mas ela... A escola de dança que vocês duas...

– Pra você ver como não me conhecia. Eu nunca frequentei escola de dança. "bcv.88". Eu nasci em 98, dez anos depois. É o diário que escrevo pra mim mesma dez anos mais velha. E "bcv" são as iniciais invertidas do meu nome, só isso.

– Não estou acreditando.

– A única pessoa em quem eu sempre confiei pra contar as coisas foi a mamãe. Você nunca me deu abertura, nunca me perguntou nada sobre os meus sentimentos, meus sonhos, meus planos. Você nunca quis saber quem eu sou de verdade, se eu gosto de alguém, aonde pretendo chegar na vida. A Bárbara era apenas uma amiga imaginária pra quem eu desabafava as coisas que não queria revelar a mais ninguém. Quando recebi o seu e-mail, tomei um susto enorme, fiquei zonza, sem saber como responder. Eu poderia ter revelado tudo, mas não consegui.

– Por que você escondeu de mim? – Vinícius levantou e voltou a andar em círculos, olhando para o céu.

– Porque eu queria conhecê-lo melhor, porque eu queria ver até onde você não me conhecia. Porque eu queria que, depois da morte da mamãe, você não agisse como uma personagem. Se conversasse com outra pessoa, você seria sincero como nunca tinha sido comigo. Fingindo ser a Bárbara, eu pude saber muito mais da sua alma do que se perguntasse diretamente a você.

– Você levou o seu celular na viagem, e guiou meus passos, e a gente se falava, e você respondia e... – as frases saíam atropeladas.

– Desculpa. Eu não ia levar o celular, mas, quando você mandou a mensagem dizendo que estaria conectado...

– Você não precisa pedir desculpas, filha. Nós dois transgredimos a regra. Mas você e a Bárbara me ensinaram um monte de coisas, e eu sou grato por isso.

Ela sorriu, sem graça, olhando para o chão.

Então Vinícius levantou da cadeira, foi até o computador e escolheu uma canção. A harmonia começou a ganhar corpo.

– Vocês duas aí, querem dançar comigo?

Valentina e Vida ficaram paradas e ele passou a bailar pelo terraço, olhos fechados, braço esquerdo esticado e mão direita sugerindo abraçar alguém. As duas começaram a sorrir, sem entender a imagem. Quando a voz entrou, Valentina começou a reconhecer a música.

– Esta música... Eu... A gente... É aquela...?

– Não pergunte, filha, apenas ouça e dance – Vinícius gritava e continuava rodopiando pelo terraço.

– Mas como você...?

– Tem muita coisa que você não sabe sobre mim. – Ele dançava de olhos fechados e gritava: – Vamos dançar, nós três. Venha, fadinha.

Vida foi correndo e pulou no colo de Vinícius. Os dois esticaram os braços e passaram a rodopiar juntos.

A música composta pelos três para Viviana soava perfeita pelos alto--falantes do potente aparelho conectado ao computador. Com uma batida dançante e densa, a voz de Valentina pairava sobre a base muito bem mixada. Vinícius clicou no controle remoto e aumentou o volume. A música ganhou os ares do condomínio, indo bater nas árvores da floresta adiante.

– Venha, Valentina. É a nossa música! A música da mamãe.

Valentina, então, correu para perto dos dois e os três passaram a dançar juntos. O quinto desejo de Viviana tornava-se realidade ali, com a Família V dançando, sob a luz da lua e das estrelas, no melhor lugar do mundo, a canção mais gostosa que já tinha sido feita.

Ao final da música, Vinícius se ajoelhou e os três se abraçaram.

– Valentina, posso pedir uma coisa? Você me ajuda a ensinar para a Vida o nosso cumprimento? Lembra dele?

– Você não faz ideia de como eu já queria ter ensinado... – Valentina respondeu.

Então, Vinícius fez o "V" com o indicador e o médio. Valentina fez o mesmo. A pequena Vida levantou a mãozinha e fez um "L", com o dedão e o indicador. Valentina corrigiu, pegou a mão da pequena e a levantou. Os três tocaram os dedos e fizeram o cumprimento da "Família V de Verdade".

Valentina tomou a palavra:

– Agora *eu* posso pedir uma coisa?

– Qualquer uma.

– Faz aquela dança da vitória?

– Só se você fizer aquela carinha.

Os olhos de Valentina caíram, os dentes travaram, o beiço de baixo foi para a frente, a cabeça ficou de lado. Vinícius, então, fez a *Haka*. As duas meninas caíram no chão de tanto dar risada.

– Eu queria contar uma coisa. – Valentina se levantou e foi até Vinícius.

– Fala.

– Quase acabei.

– O quê?

– Seu livro. Faltam umas trinta páginas.

– Já?

– Certo dia, um grande escritor brasileiro me ensinou: *quando a história é boa, os leitores sentem necessidade de virar cada página*. E eu tinha prometido dar a ele a minha opinião sobre a história.

– E...?

– Perfeita, como sempre – ela sorriu.

– Só isso?

– E precisa mais?

– Você recebeu tantas informações da sua autora favorita. Achei que faria uma análise aprofundada da trama. – Ele levantou uma sobrancelha.

– Ela não é mais a minha autora favorita. E, mesmo antes de terminar a leitura, já me deu aquela vontade absurda de ficar muito amiga do escritor.

Ele apenas sorriu, as palavras presas na garganta.

42

Vinícius fez questão de que o jantar fosse servido na grande mesa da varanda, local nunca mais utilizado desde quando Viviana começara o tratamento. Dona Lourdes e Arnaldo foram convidados a se sentar, e as duas meninas contaram sobre a viagem. Os cinco refizeram, daquele, o perfeito local de uma família de verdade.

– Quero fazer um anúncio. – Vinícius bateu o garfo no copo. – Decidi mudar o escritório. Não mais no terceiro andar. A partir de hoje vou escrever ali no meio da sala. – Ele apontou com o queixo. – Não quero perder mais nada das coisas desta casa.

– Uhuuu! – Vida gritou.

Após a sobremesa, ele subiu para trazer a parafernália. Quando abriu a gaveta, reencontrou o envelope pardo que Salvatore havia deixado. Pegou-o nas mãos e, mais uma vez, não teve vontade de abrir. Fechou a gaveta, juntou os equipamentos e desceu. Fez três viagens, plugou tudo e ligou o computador. Enquanto a máquina iniciava, ele admirou a pequena Vida brincar com o *tablet* no tapete e Valentina folhear as páginas finais de seu último romance na rede da varanda. Dona Lourdes terminava de ajeitar a mesa.

Finalmente, Vinícius decidiu retomar o trabalho e diminuir um pouco a quantidade de e-mails não lidos de sua caixa. Antes de começar a responder, abriu a conversa completa com "Bárbara". Releu toda a troca de mensagens, e sorriu ao imaginar a filha bolando cada resposta, sempre no quarto de hotel ao lado do seu e conduzindo a viagem. Em seguida, voltou para a última data em que havia deixado de abrir mensagens, o dia anterior ao do evento de lançamento do último livro. Responder pessoalmente, tarefa cansativa, mas prazerosa, foi a estratégia adotada desde o início da carreira para se aproximar dos leitores, postura sempre elogiada nas resenhas e comentários. Abriu o arquivo secreto com as inúmeras respostas prontas, uma para cada tipo de mensagem. Pequenos textos para elogios, para críticas, para as diversas perguntas iguais que apareciam, para pedidos de livros, de entrevistas, de participações em eventos, palestras e viagens.

Da mais antiga para a mais recente, Vinícius lia, copiava, colava, enviava. Lia, copiava, colava, enviava. Alterava apenas o nome do destinatário e despachava. *Obrigado pelo carinho; Espero que eu consiga corresponder sempre com grandes histórias; Muito bacana você ter se emocionado* e uma série de outras frases prontas.

Pois foi então que, após ler, copiar, colar e enviar pouco mais de uma dezena de mensagens, Vinícius leu, no meio da tela, o nome do remetente com quem ele jamais poderia imaginar ainda ter algum tipo de contato. O ar sumiu de seus pulmões, o coração quase saltou fora da boca, as pernas bambearam, a tontura rondou sua cabeça. Uma mensagem de Viviana López Coltelli Becker havia aguardado tranquila pelo momento de ser lida. A data: 6 de maio, o dia anterior à morte. O horário: 23h20. O título: "Fã Número 3". Ele abriu a mensagem. Não havia nenhuma palavra no corpo do e-mail, apenas um vídeo anexado. Mãos trêmulas, ele procurou o fone de ouvido, demorou a conseguir acertar o plugue no computador. Deu dois cliques no arquivo e o *player* jogou na tela o rosto da esposa...

a t g s h z

43

A imagem, penumbra estilo filme B antigo, era de dar pena. Rosto cadavérico, maçãs proeminentes, bochechas enegrecidas, cabeça raspada. Solidão, dor, silêncio quebrado pelos bips dos aparelhos. O fundo da cena mostrava as paredes do hospital e os contornos e *leds* verdes e vermelhos do maquinário que ajudava a mantê-la viva. A fraca luz lateral, provavelmente emitida do corredor, realçava ainda mais os ossos da face recostada no travesseiro branco. Viviana tirou os pequenos tubos do nariz, e cada lenta inspiração parecia envolta pela dor de pulmões incapazes de realizar corretamente suas funções. Vinícius colocou a mão na boca, para tentar esconder das meninas o choro que já caía de forma descontrolada.

Então ela começou a sussurrar para a câmera, fala arrastada, pesada, lenta, quase inaudível. Timbre modificado e distante da doce voz de outrora. Inacreditável ter encontrado forças para se filmar sozinha e enviar.

– Amor da minha vida. Eu pedi para a Valentina deixar escondido o meu celular aqui hoje, porque os médicos e as enfermeiras não permitem de jeito nenhum. Assim eu me sinto mais segura. Mas a verdade é: eu preciso falar muitas coisas pra você. Não me importo se alguém vier reclamar. Nada vai me impedir.

"Sabe, as dores andam cada vez mais fortes. Eu me sinto fraca como nunca me senti antes. Dores na cabeça, nas pernas, no rosto, no peito. Não sei mais quanto tempo vou aguentar, e, enquanto ainda consigo, quero dizer o quanto eu te amo e como você me fez feliz. Não suporto mais ficar aqui, tomando estes remédios, sendo furada em tudo quanto é parte do meu corpo. Minha vontade é fugir, sair correndo para a rua, voltar para casa, para o seu lado, para junto das meninas. Estou conformada com a minha morte, não tenho outra saída. Mas, se eu pudesse ter um sonho realizado, queria estar ao lado da minha família, aqui ou fora daqui".

"Saudade do canto que eu construí para nossa família V de Verdade! Nosso lar, nosso cantinho, nosso mundo. Saudade do nosso terraço, da vista do lago e da floresta. Saudade de abraçar você, meu amor, de dançar aquelas canções que sempre embalaram a nossa história. Saudade de fazer o cumprimento da família. Você promete ensinar para a Vidinha o nosso cumprimento?"

"É pena você não ter vindo aqui ontem nem hoje, mas eu entendo a sua ausência. Quando nós nos conhecemos, você já era escritor e eu sabia que as suas viagens seriam o efeito colateral do tanto que lutamos para você vencer. Por isso, eu sei que este evento é importante, é o seu lançamento, é o *nosso* lançamento. Estou torcendo daqui. Digo 'nosso lançamento' porque me sinto parte de tudo o que você fez até hoje. Lembro-me de cada noite em claro, cada vez que bati a mão na cama de madrugada e você não estava ao meu lado, mas sim lá na frente do computador, no nosso quartinho da quitinete. Nunca contei, mas eu abria os olhos e ficava lá, deitada e olhando você de lado, a luz da tela do computador iluminando o seu rosto. Como você era lindo! Eu rezava baixinho e pedia inspiração para a sua alma, para Deus puxar de dentro do seu peito todo o amor escondido lá dentro e que você tentava negar, dizendo ser obra apenas das técnicas. A cada sorriso seu, eu sentia sair mais um de seus parágrafos perfeitos".

Viviana começou a chorar.

"Torço de todo o meu coração para que os eventos, pelo resto da sua vida, sejam um sucesso e você volte todas as noites para os meus braços. Eu estarei esperando, pode acreditar".

"Saudade do seu abraço, do seu beijo. Saudade de fazer amor, de sentir você dentro de mim. Saudade das nossas viagens, de cada sorriso. Saudade das nossas brigas, das suas manias. Saudade de ter saudade dos momentos em que você voltava das viagens e eu abria a porta para ver o seu carro vindo de lá da entrada do condomínio até a porta de casa. Saudade, saudade, saudade infinita. É muito ruim não ter mais nada disso, e dói muito ter sonegado o direito de viver, sentir, cheirar, escutar e realizar as coisas com você".

As lágrimas desciam dos olhos de Viviana e, na mesma intensidade, corriam pelo rosto de Vinícius. Ele pausou o vídeo, disfarçou e saiu em passos rápidos. As meninas não perceberam ele se trancar no lavabo. Colocou a toalha na boca, travou os dentes, apoiou os cotovelos na pia, abriu a torneira e o som do seu choro foi bloqueado pelo da água.

Algum tempo depois, lavou e secou o rosto, tentou disfarçar a cara vermelha, respirou fundo algumas vezes e voltou. As meninas ainda entretidas em suas atividades. Ele recolocou o fone e voltou ao vídeo.

– Consegui ler algumas páginas do seu livro novo. Você continua maravilhoso, romântico, perfeito. A Valentina não quer ler de jeito nenhum, e eu nem contei pra ela que eu li. Eu entendo a raiva; os jovens são assim mesmo, meu amor. Na opinião dela, você largava tudo pra me acompanhar, mas eu não penso assim. A vida de vocês vai continuar, mesmo quando eu for embora. Eu sei que você me ama e pensa em mim toda hora. Sei que ama nossa família, é um pai espetacular. Está ali no livro. Amei o fato de você ter homenageado as nossas filhas com os nomes das personagens, e isso só prova que elas estarão em boas mãos quando eu partir de vez. Ah, como eu queria ser, agora, nada além da personagem de um livro seu! Eu pediria aos deuses da inspiração para o iluminarem e então você faria o milagre de me curar, dentro de um de seus parágrafos perfeitos.

"Essa tarde eu tive um sonho tão gostoso! Acordei com a plena certeza de que nada foi em vão. Estávamos eu e você, velhinhos, lá em casa. Era domingo e a gente esperava a chegada da Valentina, da Vida, dos maridos e filhos delas. Os netos que não teremos... Desculpa, meu amor, por sofrer desta doença. Eu não queria ir embora, queria ter ficado velhinha ao seu lado. De todo o meu coração, desejo que você encontre alguém bacana e que ajude você a criar as meninas. Uma mulher honesta, querida, que ame vocês como eu amei. Se você encontrar esta pessoa, eu também vou amá-la, pode acreditar. Porque o nosso lugar está reservado já, e ele fica dentro deste meu coração fraco".

"A Valentina... Ah, nossa doce e séria menina. Tenha paciência para entender as questões pelas quais ela está passando. A adolescência é assim mesmo, você sabe, porque já escreveu tanto sobre isso. Mas a rebeldia dela é só da boca pra fora. Você jamais vai encontrar menina mais doce e amorosa. Apenas se permita conhecê-la melhor. Ela é igualzinha a você".

"A Vidinha, nossa fadinha, ainda está no começo da caminhada. Você tem todas as chances para fazer por ela as coisas que deixou de fazer pela Valentina por causa da dedicação total aos seus livros. Se você errou em algum ponto, a hora de começar a corrigir é agora. Não espere muito, porque o tempo não volta".

"O acaso decidiu, e a lógica desandou. Mas nunca se esqueça do resto da nossa canção: '*Nós somos feitos um pro outro, pode crer. Por isso é que eu estou aqui*'. Eu te amo demais e saiba: você é o melhor homem, companheiro, amante e pai do mundo. Quando vir esta mensagem, hoje, amanhã, ou quando for a hora, eu estarei pensando em você. Se não aqui, ainda nesta cama, certamente lá do céu. Um beijo inesquecível da sua fã número 3".

O braço fino de Viviana foi lentamente em direção à câmera para terminar a gravação, e a imagem final era a palma de sua mão ocupando toda a tela. Vinícius então pausou e tocou sua mão na imagem da mão de Viviana. O movimento que ele não havia feito, o de segurar a mão da esposa no momento em que ela fosse embora, acontecia ali, de forma singela, separadas apenas pela fina tela do computador. Para ele, duas certezas: a de que, por mais doloridos que tivessem sido os instantes finais, Viviana partira serena e consciente de tudo o que significara sua breve caminhada ao lado da família; e a de que todo o amor depositado por ela no coração dele e das filhas seria eterno.

44

Valentina cochilava na rede. Vida, deitada sobre o tapete, dava gargalhadas de alguma coisa no *tablet*. Vinícius admirou as duas por alguns instantes, na vontade de abraçá-las com a maior força do mundo. Qualquer dia mostraria às duas o vídeo, para que elas nunca se esquecessem da mãe maravilhosa que tiveram.

Então percebeu dois envelopes brancos sobre a mesa de centro, junto a uma série de contas e folhetos recebidos pelo correio. O logotipo do laboratório de análises clínicas no alto fez o coração de Vinícius disparar.

– Lourdes, quando chegaram estes exames?

– Tem alguns dias. Foi durante a viagem de vocês. Esqueci de avisar o senhor, desculpa – ela respondeu, da cozinha.

Vinícius sentou na poltrona em frente ao computador. Precisaria encarar o fato de que a estrada teria de seguir diferente, caso as filhas carregassem no corpo algum traço, por ínfimo que fosse, da possibilidade de desenvolverem "uma doença estúpida que tira do mundo as melhores pessoas, aquelas que fazem deste mesmo mundo um lugar um pouco menos miserável". Abriu o primeiro e retirou o papel. No alto à direita, novamente o logotipo do laboratório. Leu o nome, no meio à esquerda: "Valentina Coltelli Becker – Protocolo nº 349387". O coração bateu mais forte. Como fizera muitas vezes, correu os olhos pelo hemograma até a indicação das taxas de glóbulos brancos. O valor mantinha-se dentro da faixa de referência. Ele sorriu, aliviado, dobrou e guardou o papel novamente dentro do envelope. Pausou antes de abrir o seguinte, fechou os olhos. Vida nunca havia sido submetida a qualquer exame, então ele pediu a Deus que não carimbasse o destino da filha menor. Descolou a etiqueta e, no instante em que seus dedos tocaram a folha, Vida grudou no braço dele, com o *tablet* de capa vermelha debaixo do braço.

– Papai, joga comigo? Por favor, por favor!

– Claro, meu amor. – Ele a pegou no colo, fechou o envelope, jogou de volta sobre a mesa de centro e perguntou: – Qual o seu jogo favorito?

Pela primeira vez, os dois jogaram juntos os *games* que Vida costumava passar horas jogando, e que Vinícius sempre considerara a salvação para ter tranquilidade para escrever. Deitados sobre o tapete da sala, os dois montaram sorvetes, barbearam um papai-noel, brincaram de dentista e de cozinheiro. Entre uma brincadeira e outra, Vida deu um abraço nele e soltou:

– Papai, eu gosto de você.

– Ô, fadinha. Eu também. – Ele passou a mão nos cabelos dela. – Infinitamente.

– O que é infinitamente?

– Muito, mas muito maior do que esta casa...

45

O relógio já batia dez da noite. Vinícius cutucou Valentina na rede. Tirou das mãos dela o livro que repousava caído, displicente, aberto na penúltima e antepenúltima páginas. Sussurrou:

– Filha, levanta senão suas costas vão doer amanhã. Melhor você colocar o pijama e deitar lá na sua cama.

Ela abriu os olhos, levantou e se espreguiçou.

– Papai, posso dormir com você? – Vida perguntou.

– Pode sim, fadinha, claro. Vai lá colocar o seu pijama também.

Vinícius olhou para o segundo envelope do laboratório em cima da mesinha, mas não fez qualquer movimento em direção a ele. Decidiu abrir apenas na manhã seguinte. Desligou o computador, apagou as luzes e subiu as escadas. Quando foi entrar no quarto de hóspedes, desistiu. Não entrou, não precisava mais dormir ali. Foi até a suíte do casal, abriu a porta, acendeu a luz e deu um passo para dentro. Tudo continuava exatamente como se lembrava. Sentou na cama, passou a mão no lençol, o travesseiro ainda trazia o cheiro característico que o acompanhara por milhares de noites deitado ao lado da esposa. Sobre o criado-mudo, uma foto dos dois em uma mesa de jantar, taças de vinho branco nas mãos, fazendo um brinde em direção à câmera. Vinícius se lembrava bem de onde ela havia sido tirada: num passeio de *bateaux mouche* em Paris, muitos anos antes. Ele pegou a foto nas mãos e acariciou o rosto da esposa.

De repente, notou as duas filhas, já de pijama, paradas na porta do quarto. As duas entraram e o abraçaram. Valentina segurava o livro de Vinícius. Vida trazia um dente na mão.

– Caiu mais um, fadinha?

Ela sorriu, a janela embaixo duas vezes maior.

– Vai vender o dente pra fada?

– Vou.

– Então coloca ali embaixo daquele travesseiro. – E apontou para o travesseiro de Viviana. Virou-se para Valentina e perguntou:

– Filha, você quer dormir aqui comigo e com a Vida? A cama é grande...

Ela assentiu com a cabeça e disse:

– Quero te mostrar uma coisa antes... – Virou-se de costas, abaixou um pouco a alça da camisola e mostrou o ombro. – A casquinha já caiu. Espero que você goste.

Vinícius apertou os olhos, os dois se abraçaram. Valentina continuou:

– Um dia você me perguntou se eu achava que a mamãe tinha morrido por causa dos seus livros. Eu achava, sim, estava consumida pelo desespero da partida dela. Mas hoje, ao contrário, penso que seus livros foram uma forma de ela viver. De viver uma história de amor maravilhosa. "Sorte", foi o que ela teve na vida por ter encontrado você.

O abraço que os dois se deram foi intenso, verdadeiro, diferente.

Cada uma das meninas então se deitou em uma ponta, Vinícius no meio.

– Um filminho, pra dar sono? – Pegou o controle remoto e ligou a TV.

– Uhuuuu – as duas gritaram.

Enquanto zapeavam entre os canais, pegaram o meio de uma propaganda que chamou a atenção: "Romance, superação, perdão... O novo livro de Vinícius Becker... Nas melhores livrarias". Ao final, a capa colorida do livro e o nome: *A Máquina de Contar Histórias*.

– Papai, você é famoso?

– Depende, fadinha. Sou famoso pra vocês duas?

Vida afirmou com a cabeça, Valentina também. Ele sorriu e abraçou as filhas junto ao corpo.

As cenas iniciais de uma comédia romântica dos anos 90 surgiram, mas Vinícius não conseguia prestar atenção. As cenas iniciais de um livro imaginário, um pai assistindo a um filme deitado na cama com as filhas, eram bem mais poderosas. Agora, voavam em sua mente as palavras de Valentina: *Escrever é muito mais do que uma profissão. É uma atitude de amor, de entrega ao que se quer contar.*

Vida já dormia. Ele abriu a carteira, pegou uma nota de cinquenta e, quando foi trocar pelo dente, recuou. Guardou a cédula e a trocou por cinco notas de dois. Valentina sorriu. Ele sorriu de volta e sussurrou:

– Cinco dinheiros. O sol correndo por trás das nuvens...

Então o telefone tocou. Vinícius passou a mão por cima de Vida e o pegou sobre o criado-mudo. Olhou no visor, viu o nome do seu agente, titubeou e, por fim, decidiu atender:

– Fala, meu camarada.

– Bicho, finalmente eu consigo falar com você. Que bom que tá vivo! Onde você andou?

– Por aí, aprendendo um pouco a amar. – Vinícius olhou para as filhas.

– Se essa frase tiver alguma coisa a ver com o termo *best-seller*, prometo não reclamar. E você não ia me ligar nunca mais?

– Ia, mas sem pressa. Os eventos sempre podem esperar.

– Ok... Bom, notícias espetaculares: aquela papelada que eu deixei pra você ler deu muito mais certo do que a gente podia imaginar. Agora, sim, o mundo saberá de verdade quem é o grande Vinícius Becker. Hollywood que nos aguarde, porque...

Valentina levantou a cabeça na direção de Vinícius, o cutucou. Ele tirou o aparelho do ouvido e o pressionou contra o peito. Ela sussurrou:

– Quem é, pai?

"Pai". A palavra, a sensação, a redenção. Vinícius olhou para a filha por alguns segundos, felicidade que havia muito não experimentava. Apertou o botão vermelho e desligou o celular.

– Não é nada importante, meu amor.

Jogou o aparelho sobre o tapete, apertou cada uma das filhas contra o seu corpo, sorriu e Valentina pediu:

– Lê pra mim a última página do seu livro? Só falta ela. Guardei pra ouvir de você...

Ela fechou os olhos, ele desligou a TV e então recitou, sussurradas, as palavras que já sabia de cor:

A primeira letra... O ponto final... No meio, os caracteres e espaços em branco que, por mágica, amarraram as duas pontas. A escolha das palavras, a pontuação e a sequência das ideias em cada página. Decisões. Amor recontado entre as aberturas e fechamentos de capítulos, por quem cedeu à tentação de se entregar. Infinitas possibilidades de entendimento, inúmeras histórias em uma só. Aquele foi o caminho trilhado, mas o que viria a seguir? Pouco importava, estradas sempre mudam. Os três só tinham uma certeza: aquela havia sido a jornada mais perfeita que jamais poderiam ter vivido.

46

Ele se virou para o lado e desligou a luz do abajur. O cansaço o preenchia de forma avassaladora. Já quase apagado, enxergou a porta do banheiro, luz fraca, bruma que a mente jogou nos olhos, felicidade que já ninava sonhos desconexos, delirantes e talvez sem sentido. E escutou sons de água, escova de dentes batendo na torneira e a doce voz da jovem esposa, grávida da primeira filha, embalando seu sono:

Nós somos feitos um pro outro, pode crer...

Agradecimentos

Palavras são insuficientes para agradecer a tantas pessoas que vêm caminhando ao meu lado durante tantos anos. Ao mesmo tempo, seria impossível citar todos os nomes. Vocês sabem quem são, então se sintam profundamente agradecidos. Em especial, cito aqui Thiago Mlaker, James McSill, Tammy Luciano, Clemens Santos, Pedro Porto, Ana Maria Ferreira, as "Poderosas do Gomyde" (valeu, meninas!). E, sempre e eternamente, todos os meus blogueiros parceiros. Sem vocês, nada disso jamais seria possível (a relação completa dos parceiros está em mauriciogomyde.com).